D1313504

LES MOTS ÉTRANGERS

DU MÊME AUTEUR

DANS LA COLLECTION « QUE SAIS-JE ? »

La stylistique, n° 646 (traductions espagnole, norvégienne, japonaise, yougoslave).

La sémantique, n° 655 (traductions espagnole, japonaise).

L'argot, n° 700.

La grammaire, n° 788 (traductions japonaise, espagnole).

Les locutions françaises, n° 903 (traduction japonaise).

La syntaxe du français, n° 984.

L'ancien français, n° 1056.

Le moyen français, n° 1086.

L'étymologie, n° 1122.

A paraître :

Les mots grecs et latins.

Les patois et dialectes.

Le français populaire.

La linguistique appliquée.

AUTRES OUVRAGES

Les sources médiévales de la poésie formelle : la rime, J. B. Walters, Groningen, 1952.

Langage et versification d'après l'œuvre de Paul Valéry. Etude sur la forme poétique dans ses rapports avec la langue, Paris, Klincksieck, 1953.

Index du vocabulaire du symbolisme, 6 fasc. : *Alcools* d'APOLLINAIRE, *Poésies* de VALÉRY, *Poésies* de MALLARMÉ, *Les illuminations* de RIMBAUD, *Les cinq grandes odes* de CLAUDEL, *Les fêtes galantes* et *Les romances sans paroles* de VERLAINE (Paris, C. Klincksieck).

Index du vocabulaire de la tragédie classique : CORNEILLE : *Le Cid, Cinna, Horace, Polyeucte, Nicomède* ; RACINE : *Phèdre* (Paris, Klincksieck).

Les caractères statistiques du vocabulaire, P.U.F., Paris, 1953.

Bibliographie de la statistique linguistique, Spectrum, Utrecht, 1954.

Problèmes et méthodes de la statistique linguistique, Reidel-P.U.F., Dordrecht-Paris, 1960.

Histoire de la poésie et du vers français (à paraître).

« QUE SAIS-JE ? »

LE POINT DES CONNAISSANCES ACTUELLES

N° 1166

LES MOTS ÉTRANGERS

par

Pierre GUIRAUD

Professeur à l'Université d'Aix-en-Provence
(Centre Littéraire Universitaire de Nice)

PRESSES UNIVERSITAIRES DE FRANCE

108, Boulevard Saint-Germain, PARIS

—

1965

INTRODUCTION

Le français a, au cours de son histoire, emprunté de nombreux mots à diverses langues étrangères. Ces mots nous sont venus avec les choses, ce qui suppose des conditions historiques (culturelles, politiques, commerciales, etc.) qui en ont déterminé le passage.

Certes l'emprunt dépend, dans une certaine mesure, de la forme du mot (cf. mon *Etymologie*) mais les problèmes des emprunts restent essentiellement historiques. C'est pourquoi on a mis l'accent sur la chronologie ; et, pour la première fois dans un ouvrage de cette nature, les mots ont été datés et classés par ordre chronologique.

Rien n'est plus abusif, en effet, que de jeter pêle-mêle dans un inventaire de« mots arabes» des termes qui appartiennent à l'alchimie du haut Moyen Age (*alcool, élixir, alambic*, etc.) ; au folklore oriental romantique (*djinn, goule, uléma*, etc.) ; à l'argot militaire de la conquête algérienne (*toubib, bézef, barda*, etc.).

J'ai essayé aussi d'être complet et ce sont quelque 3 000 emprunts qui seront analysés au cours de l'ouvrage et dont on trouvera les listes.

L'inventaire primitivement établi d'après le *Dictionnaire étymologique* de Dauzat a été vérifié sur le *Dictionnaire étymologique* de Bloch et Wartburg et éventuellement corrigé. Inventaire, donc, très étendu. Mais une étude de ce type dépend des dictionnaires pris comme base et elle n'est jamais exhaustive. Par exemple le *Dictionnaire général* retient 250 mots anglais, le *Dictionnaire de l'Académie* 500, Dauzat 700 alors que Fraser Mackensie en relève 3 000 dans son étude sur les *Relations de l'Angleterre et de la France d'après le vocabulaire*.

Mais voici une analyse statistique de l'ensemble de ces emprunts :

Les chiffres, dans leur sécheresse, permettent de distinguer trois grandes périodes : le Moyen Age, la Renaissance classique, les Temps Modernes.

Siècles	XIIe	XIIIe	XIVe	XVe	XVIe	XVIIe	XVIIIe	XIXe	XXe	Total
Arabes	20	22	36	26	70	30	24	41	10	269
Italiens	2	7	50	79	320	188	101	67	3	824
Espagnols			5	11	85	103	43	32	2	302
Portugais				1	19	23	8	3		56
Néerlandais	16	23	35	22	32	52	24	10		214
Allemands	5	12	5	11	23	27	33	45	6	167
Anglais	8	2	11	6	14	67	134	377	75	694
Slaves	2			1	4	6	11	10		38
Scandinaves	19		7		9	8	3			46
Turcs	1			2	13	9	6	14		45
Persans	2			2	1	5	3	1		14
Hindous					1	4	8	5		18
Malais					4	10	6	5		25
Japonais, chinois						2	5	4	2	15
Amérique latine					36	25	21	7		89
Amérique du Nord						3	3	2		8
Afrique					1	1	3	8	3	15
Grecs	8	4	5	3	1	2				23
Hébreux	9	1	2	5	2	2	1	1		23
	87	84	143	151	595	549	443	630	101	2 886

Pour la période médiévale, qui va des origines au début du XVIe siècle, le nombre des emprunts est réduit (465 sur 2 900), la moyenne d'une centaine de mots par siècle est cinq fois moins grande qu'à l'époque moderne.

Cela tient certes à la relative pauvreté et stabilité du vocabulaire médiéval. Mais en partie seulement, car la grande majorité des emprunts techniques, des mots de la médecine, des mathématiques, de la scolastique, etc., nous sont venus par le latin médiéval, sans qu'il soit possible de décider s'ils ont été créés en France, en Italie, en Allemagne.

En dehors des termes scientifiques arabes, les emprunts médiévaux sont venus par le commerce et on peut distinguer trois grands courants : les Arabes (104 mots), les Pays-Bas (96 mots), l'Italie (138 mots) contre 127 mots pour tous les autres pays réunis ; faible influence, en particulier de l'espagnol (16 mots), de l'anglais (27 mots), de l'allemand (33 mots).

Les Arabes sont, en effet, les courtiers du commerce oriental ; ce commerce passe par l'Italie (Venise, Gênes) ; cependant qu'au nord le relais est assuré par les Flandres.

C'est à ces trois sources que s'alimente notre vocabulaire médiéval.

La Renaissance, en revanche, soulève un intense mouvement d'idées, de techniques et de mots ; et, à partir de cette époque, d'autre part, les sciences commencent à abandonner le latin pour l'idiome vulgaire qu'elles viennent désormais alimenter.

Sur 1 150 mots empruntés au cours du XVIe siècle et du XVIIe siècle, près de la moitié nous viennent d'Italie (508). L'apport le plus important est ensuite celui de l'Espagne (188 mots) qui est, durant cette période, le relais du monde exotique. L'apport anglais est très faible et ne commence guère à se faire sentir avant la fin du XVIIe siècle.

A partir de ce moment, en revanche, il ne cesse de croître ; et sur les 1 174 mots empruntés depuis le début du XVIIIe siècle, 586 nous viennent de l'anglais.

On distinguera, d'une part, les mots d'emprunts assimilés et immotivés dont l'emploi ne pose pas de problèmes, sinon historiques ; d'autre part, les mots « étrangers ».

Parmi ces derniers les uns sont des *emprunts techniques* qui désignent (dénotent) une chose étrangère du fait que cette chose n'a pas d'équivalent dans la culture indigène. Ainsi les titres sociaux (*lord, sir, signor, caïd, pacha,* etc.), des monnaies (*schilling, dollar, mark,* etc.) ; des plantes, des objets, des modes (*café, edelweiss, sabretache, cadogan, alezan,* etc.).

Les autres sont des *emprunts stylistiques* qui désignent des

choses existant dans la langue indigène mais auxquelles un
nom étranger donne une valeur (une connotation) étrangère ;
ainsi la mode, la publicité confèrent un brevet d'américanisme à notre maillot de corps (et à son propriétaire) en le
nommant *tee-shirt.*

Il y a des degrés dans cette extranéité de l'emprunt et de
difficiles problèmes de datation. Ainsi à partir de quel moment
tel mot qui nous arrive pour la première fois dans une traduction ou un récit de voyage is)lés justifie-t-il le terme d'emprunt,
ou simplement de *mot étranger* (anglais, italien...) ? Nous avons
dans ce cas indiqué deux dates ; *foot-ball,* ' 1698 », XIXe, signifie
que le mot est relevé dès 1698 dans un récit de voyage, mais
n'a pas été emprunté par les usagers de la langue avant le
XIXe siècle.

Nous retrouverons ces problèmes au terme de notre étude ; il
nous fallait pour l'instant en définir les limites.

Nous donnons pour chaque langue une liste complète des
emprunts classés chronologiquement et servant de départ à
un bref commentaire historique et étymologique.

Ce commentaire — portant sur 3 000 formes — est nécessairement succinct et la partie la plus originale et la plus construc-
tive de ce travail est constituée par les listes elles-mêmes.

C'est au lecteur qu'il appartient de reprendre chacune d'entre
elles dans son détail pour approfondir une analyse dont je ne
puis donner que les grandes lignes.

Lecture des listes de mots, abréviations. — La date est portée
devant le mot : 1350, *brigand.* Un mot emprunté au cours
d'un siècle à une date non précisée est simplement précédé de
l'indication du siècle : XVIIe, *alerte,* et on a rejeté à la fin de
chaque siècle tous les mots dont l'année n'est pas exactement
précisée.

Un mot peut comporter deux dates sous la forme : 1526,
festin (« 1382 »), ce qui signifie que *festin* est entré dans l'usage
en 1526, mais qu'on a relevé un exemple isolé du mot en 1382,
dans un sens purement « italien » (par exemple une traduction).

D'autre part un mot peut avoir été relayé ; ainsi *douane* nous
est venu d'Italie, mais les Italiens l'avaient eux-mêmes emprunté des Arabes ; il peut donc être considéré soit comme
italien, soit comme arabe et figure dans les deux listes :

— sous la rubrique mots italiens : *douane,* ar. > (venu de
   l'arabe) ;
— sous la rubrique mots arabes : *douane* < it. (venu par
   l'italien).

Chapitre Premier

LES ARABES ET LE PROCHE-ORIENT

Au nombre de 270 les mots arabes constituent une de nos principales catégories d'emprunts après les 900 mots italiens, les 700 mots anglais.

C'est qu'à l'instar de l'Italie du XVIe siècle ou de l'Angleterre du XIXe siècle, l'Empire arabe du haut Moyen Age a été une des grandes sources de notre culture.

Il l'a été par trois voies :

— le latin médiéval des médecins, pharmaciens, alchimistes, mathématiciens, astronomes venus puiser à la science arabe, héritière de la Grèce alexandrine ;

— l'Italie et le commerce vénitien et génois intermédiaire entre l'Occident et l'Orient ;

— l'Espagne où les Maures installés du VIIIe au XVe siècle implanteront une civilisation originale.

Science gréco-arabe, commerce oriental, civilisation mozarabe (espagnole) sont donc les trois grandes sources d'un vocabulaire arabe qui, par ses différentes voies, pénètre la langue entre le VIIe et le XVIe siècle.

A ce propos, il n'est pas inutile de relever la faible influence des Croisades. Contrairement à un préjugé trop commun, les guerres n'ont qu'un rôle minime dans les échanges linguistiques et culturels. La guerre de Cent Ans ne nous a laissé pratiquement

aucun anglicisme ; il en est de même des conflits
franco-allemands de l'ère moderne.

Si l'influence des Croisades s'est fait sentir, ce
n'est que tardivement et indirectement, par l'instal-
lation des comptoirs italiens dans le Levant. Quant
à l'influence des universités mozarabes et à travers
elles de l'Islam oriental, elle est bien antérieure aux
Croisades, et a été tarie par elles.

A partir du XIVe siècle l'influence linguistique du
monde arabe cesse de se faire sentir, sinon à retar-
dement par l'intermédiaire de relais espagnols,
italiens ou latins : si, en effet, des mots comme *carat*
ou *alcool* n'apparaissent qu'au XVe siècle dans des
textes en langue vulgaire, ils sont d'un emploi
ancien dans le latin des alchimistes.

Nous devons donc distinguer trois époques dans
nos emprunts de l'arabe : l'Empire arabe médiéval,
le monde arabe moderne et enfin — cas particulier —
la conquête de l'Algérie.

I. — L'Empire arabe

Dès la première moitié du VIIe siècle, les premiers
califes étendent leur pouvoir sur l'Egypte, la Syrie,
la Perse. Au siècle suivant, les Omeyades s'étendent
en Orient jusqu'à l'Indus, en Occident sur le
Maghreb et l'Espagne dont la reconquête progressive ne commence qu'au XIIe siècle et n'est défini-
tivement terminée qu'à la fin du XVe.

Parallèlement, les Arabes s'installent en Sicile
où ils resteront jusqu'à l'intervention des Normands
au XIe siècle.

Mais l'Islam n'est pas seulement la grande puissance politique et militaire du Moyen Age, c'en est
aussi le foyer culturel.

Dès le VIIIe siècle, la cour d'Haroun el-Rashid
— le calife des *Mille et une nuits* — est la source

d'un essor littéraire, scientifique, technique, sans égal dans le monde occidental. A cette époque où les rois mérovingiens attachent leurs femmes à la queue de leurs chevaux et où Byzance s'épuise dans les schismes, les hérésies et les conciles, ce sont les Arabes qui reprennent l'héritage grec tombé en quenouille.

Par la Perse (cf. liste des mots arabo-persans, p. 20), d'autre part, ils rétablissent le contact avec l'Inde et l'Orient. Dès 773, ils traduisent les premiers textes scientifiques hindous.

Les plus grands noms de la littérature, de la philosophie, de la science médiévales sont arabes : Avicenne (980-1037), né près de Boukhara, philosophe, médecin, alchimiste, introducteur de l'aristotélicisme dans la pensée arabe, auteur entre autres du *Canon de médecine*, fait autorité en Occident jusqu'à l'époque moderne. De même Averrhoès (1126-1198), philosophe et médecin de Cordoue.

Il faudrait citer aussi les mathématiciens Al-Kharizmi, Khayam ; les astronomes Al-Bâttâni, Nadir ed-Din ; les alchimistes Khalid ibn Yazid, Jabir ibn Hayyan, Rhazer, etc.

Les Arabes sont à l'origine de la science moderne et principalement de la médecine, de l'alchimie, des mathématiques, de l'astronomie. Ils ont été, d'autre part, le relais avec l'Orient — par la Perse et Byzance — d'où ils ont ramené des plantes, des animaux, des cultures. Ils ont été les courtiers du monde méditerranéen, à la fois navigateurs et commerçants. Enfin leur propre culture a fourni des objets, des institutions dans le domaine de l'art militaire, de l'architecture, des vêtements, etc.

Toutes ces influences se retrouvent dans les emprunts dont voici la liste chronologique.

Les mots arabes

XIᵉ-XIIᵉ

azur pers. >
amiral
barbacane, pers. >
calife
coton
échec, pers. >
fardeau, < lat. vul.
hasard
hoqueton < esp.
jaseran (cotte de maille)
jupe < ital.
mat (échec)
mameluk (mamelos)
massacre ?
papegai < prov.
safran < lat.
sirop < lat.
sucre < ital.
tambour, pers. >
tasse
trucheman

XIIIᵉ

alambic, grec >
ambre < lat.
avarie < ital.
balais < lat.
barde < esp.
caraque
camaïeu
cramoisi < esp. pers. >
cubèbe < lat.
élixir, grec >
émir
gazelle
genette < esp.
luth < prov.
momie < lat.
musc < lat.
nénuphar < lat.
orange < prov.
quintal, grec byz. >
séné < lat.
sumac < lat.
turbith (pl. méd.)

XIVᵉ

alchimie < lat., grec >
algèbre < lat.
antimoine < lat.
arsenal < ital.
bézoard (méd.), pers. >
cadi
cadis (textile) < prov.
calfat, grec byz. >

camphre < lat.
candi < ital. < ar. hindou >
carvi < lat. < ar. grec >
(al)coran
douane < ital.
épinard < lat.
fustet (méd.) < prov.
gabelle < ital.
galanga < lat.
gandoura
genet < esp.
goudron
guitare < esp.
julep < prov.
limon < prov. pers. >
magazin < prov.
nacaire
nadir
nuque < lat.
raquette < lat.
réalgar (méd.)
sacre (cynégét.)
saphene (méd.), grec >
satin < esp. chine >
tabis < lat.
tare < ital.
tutie (chimie)
zénith

XVᵉ

alkekange (botan.)
bedegar (botan.), pers. >
ceterac < lat.
calebasse < esp.
calibre < ital.
carat < lat. alch.
chiffre < ital.
civette < ital.
colcotar (chimie)
darse < ital. (génois)
genette < esp.
jarre < prov.
jasmin < ital. pers. >
laquais < esp.
laque < prov. pers. >
marcassite, pers. >
marrane < esp.
massepin < esp.
massicot < it.
matelas < it.
matras (chimie)
rebec < prov.
romaine < prov.
soudan
tamarin < lat.
timbale < esp. pers. >
zéro < it.

XVI⁰

abricot < esp. < port.
alberge < esp.
alcali (chimie)
alcade < esp.
algarade < esp.
alezan < esp.
algazuil < esp.
arrobe < esp.
azerole < esp.
alcool < lat.
alidade < lat.
anil < port. pers. >
arabesque < ital.
arak
argousin < esp.
assassin < ital.
avives (équit.) < lat.
azimut
bédouin
benjoin < lat.
borax (chimie), pers. >
bouracan
caïd
calebasse < esp.

XVI⁰

carabé < esp. (ambre)
caroube < lat.
carrousel < ital.
chamarrer < esp.
cheik
cherif < ital.
cuine (chimie) (« bouteille »)
curcuma (safran), hind. >
estragon < lat. grec >
fanal < ital.
girafe < ital.
gumène (câble) < ital.
fanfaron < esp.
hachisch
hadji
henné
hégire < esp.
iman < turc
khan pers. >
jasmin < ital.
lok (méd.)
mahonne < turc
maravedis < esp.
matassin < ital.
minaret < turc
moncayar < prov.
muezzin < turc
mosquée < ital.
mufti < turc
nafle (chimie)
patache < esp.
rob (bot.), pers. >

salamalek
salicor (bot.)
salsepareille (bot.) < **esp.**
sagaie < esp.
sarbacane < esp.
sébeste (méd.)
siroco < ital.
sofa < turc
sorbet < ital. < turc
sultan < turc
talc (chimie)
tarif < ital.
zain < ital.
zéro < ital.

XVII⁰

alcôve < esp.
arcanne (henné) < lat.
aubere (équit.) < esp.
azur < lat.
avanie < it. < turc
babouche pers. >
cohober < lat.
cuscute (lat. med.) grec >
élémi < esp.
fakir
felouque < esp.
harem
houri < pers.
jarde < ital.
kandjar
kermes < esp.
lilas pers. >
marabout < port.

XVII⁰

mohatra < esp.
mousson < port.
mahaleb (cerisier)
nabab < hind.
nacarat < esp.
nacre < ital.
natron < esp.
pastèque < port. < hind.
récif < esp.
safran < lat. pers. >
sarabande < esp.
talisman grec **byz. >**
validé < turc

XVIII⁰

alcarazas < esp.
boabab sénégal >
almée < esp.
aman
bonduc (bot.) hind. >
bosan (géog.)
copte grec >
couscous

fagara (bot.)
fez
gerboise (zool.)
gilet < esp.
kali (bot.)
khamsin (géog.)
kohl (pharm.)
masser
merinos < esp. ?
moka
salep

XVIIIᵉ

roc (échec) pers. >
seïde
simoun
uléma
vali < turc.

XIXᵉ

1812. sulla (bot.)
1821. goule
1828. djinn
1833. racahout
1829. fellah
1830. zouave
1836. douar
1841. razzia
1842. tabaschir
1838. cange turc >
1841. gourbi

1843. smalah
1845. fantasia
1845. casbah
1856. bordj
1853. méhari
       goum
1859. turco
       hammam < turc
1860. maboul
1863. burnous
       matraque
       barda
1866. mazagran
       macache
       bezef
1867. kif-kif
1868. muscari
1872. alfa
       chéchia
1873. cholt
1877. sloughi
1898. toubib
       bled
       farde ?
       cleb
       djich
       guitoune
       oued
       sidi
       nouba
       medersa

1. La science arabe. — Les Arabes ont été des médecins et des alchimistes ; les deux sciences d'ailleurs se confondent, un des objets de l'alchimie étant la pharmacopée. Par ce biais ils se sont intéressés à des minéraux et à des plantes cosmétiques ou médicinales.

Le mot *alchimie* vient (probablement) du grec *khymeia*, « mélange de sucs » (voir la liste des mots arabo-grecs, p. 21).

Alambic de même est arabo-grec, l'étymon étant le grec *ambix*, « vase à distiller ».

Parmi les appareils de distillation on a aussi le *matras* et la *cuine* ; deux mots arabes, de même que *cohober*, « distiller plusieurs fois pour concentrer ».

Le produit de la cohobation est *l'alcool* qui représente l'arabe *al-kohl* ou « antimoine pulvérisée » (cf. *kohl*) et par la suite le produit de la distillation.

Un autre mot arabo-grec est *élixir*, nom de la pierre philosophale qui désigne aussi un remède d'après le grec *ksêron*, « poudre sèche ». Rien ne montre mieux la tradition arabo-grecque de l'alchimie.

Chimistes et pharmaciens, les Arabes nous ont donné *le camphre, le goudron, la laque, l'alcali, l'aniline, le talc, le borax, le natron, le réalgar* ou « bisulfure d'arsenic », *l'élémi* ou « résine à vernis », *le colcotar* ou sesquioxyde de fer utilisé en peinture. Ils utilisent *l'ambre, la marcassite, la nacre, le carabé.*

Parmi ces préparations se trouvent de nombreux cosmétiques : *le musc, la civette, la nafle, le henné, le kohl* et des remèdes comme *le bézoard* ou « contre-poison », *le lok* ou « pâte », enfin *sirop, julep* ou « potion ». *Momie* dans son premier sens désigne le bitume dont on enduisait les cadavres.

Parmi les végétaux on trouve des « épices » : *le sucre, le limon, le cubèbe* ou « poivre », *le safran* et des fruits exotiques comme *l'orange, le limon, la pastèque*; *le coton* est venu à la fois de Sicile et d'Espagne sous la forme de *hoqueton, auqueton* < *al koton*, qui désigne au Moyen Age une tunique de coton.

Par l'Italie nous sont venus *le coton, le sucre, le jasmin*, sans doute *le lilas* ; par l'Espagne ou le Portugal *l'azerole, l'abricot, la pastèque, la salsepareille* ; par la Provence *l'orange, le limon, le fustet* (autre nom du *sumac*).

Mais ce que nous ont transmis les Arabes ce sont surtout des plantes médicinales comme *le séné*, ou tinctoriales comme *le sumac* et *le kermès.*

Nombre de ces végétaux, considérés aujourd'hui comme de simples plantes potagères ou ornementales, sont à l'origine importés par les médecins.

Ainsi *l'épinard*, venu d'Espagne d'abord sous la forme latine *spinachium*, est à l'origine une plante médicinale. Il en est de même du *nénuphar* qui est tout d'abord importé non pour sa fleur mais pour ses rhizomes.

C'est par le latin médiéval que nous avons reçu : *le safran, le cubèbe* (sorte de poivre), *le nénuphar, le séné, le sumac, le turbith* (liseron purgatif), *le carvi, l'épinard, le galanda* (rhizome pharmaceutique), *le cétérac* (fougère), *le tamarin, le benjouin, la caroube, l'estragon, la cuscute.* La plupart, comme on l'a dit, sont à l'origine des simples.

Très réduit, en revanche, est le nombre des animaux venus par les Arabes : *gazelle, girafe, papegai, gerboise...*

Les Arabes ont été aussi des mathématiciens et des astronomes : l'astronomie leur doit : *nadir, azimut, zénith, alidade ;* les mathématiques : *algèbre, algorithme* — du nom de l'inventeur de l'algèbre Al-Korismi qui, au IXe siècle, introduisit en Europe les chiffres arabes et la numération décimale.

Chiffre remonte, par l'italien et le latin médiéval, à l'arabe *sifr* qui étymologiquement signifie « vide ». Le sens premier est celui de « zéro ».

Zéro, qui remonte lui aussi à *sifr,* est donc un doublet de *chiffre* qu'il remplace au XVe siècle.

2. **La civilisation arabe.** — Les Arabes ont été les courtiers de la Méditerranée. Leur commerce s'est fait principalement par l'Italie, en particulier par l'intermédiaire de Venise. Les Mozarabes d'Espagne ont été plus sédentaires.

La darse ou *l'arsenal* — il s'agit d'un même mot, le premier génois, le second vénitien — viennent de l'arabe *dâr-sinâ'a,* « arsenal maritime » ; mot qu'on rapprochera du provençal *magazin* au sens d' « entrepôt ». On a de même des noms de bateaux comme *felouque* (par le catalan) et *carraque ; fanal* réfère de même aux choses de la mer, ainsi que *gumène* qui désigne le « câble d'une ancre » (tous deux par l'intermédiaire de l'italien).

L'analyse des mots italiens, par ailleurs, atteste l'existence de toute une structure commerciale à travers des mots comme *douane*, *gabelle*, *tarif*, *tare* et *avarie* au sens étymologique de « marchandises avariées ».

C'est à l'activité commerciale des Arabes aussi que nous leur devons un certain nombre de termes qui désignent des poids ; à côté de *carat*, qui est un mot d'alchimiste, on a *arobe* (par l'Espagne), *quintal* (mot arabo-byzantin) et *romaine* qui par l'intermédiaire du provençal désigne une « balance » d'origine arabe *(rommâna)*.

Outre de nombreuses plantes médicinales et des épices, ce commerce a dû porter sur des produits orientaux : *la nacre*, *le satin*, *le cadis* (étoffe de), *le mohatra*, nom espagnol de la « moire », et son doublet provençal *moncayar* ; en attendant que le mot nous revienne par l'intermédiaire de l'Angleterre sous des formes modernes *moire* et *mohair*. *Le matelas*, *massicot*, *massepin*, *matassin* sont aussi d'origine arabe. D'Espagne mozarabe nous viennent des fruits *(l'abricot, l'alberge)* ; des vêtements, *le hoqueton*, *le jaseran* ou « cotte de maille », et plus tard *le gilet* ; des objets : *la guitare*, *l'alcôve*, *l'alcaraza*... D'Espagne encore nous viennent des termes d'une civilisation, qui intégrée et assimilée, fournit des mots désormais espagnols plutôt qu'arabes : *algarade*, *fanfaron*, *alcade*, *alguazil*, *argousin*, *marrane*.

Dans ce groupe le mot *laquais* est particulièrement curieux. L'arabe *al-kaïd* donne l'espagnol *alacayo* au sens étymologique de « chef militaire » ; puis à partir du XIVᵉ siècle le sens se dégrade en simple « valet d'armée » puis « valet », attestant ainsi

la position subalterne que les chefs maures occupent
désormais dans l'Espagne reconquise.

L'arabe fournit aussi à l'époque archaïque un certain nombre de termes militaires : *barbacane, jaseran,
timbale;* mais son influence est surtout marquée dans
la terminologie de l'équitation et de l'hippologie.

On a des robes du cheval : *zain, aubère ;* et *jarde*
qui désigne une « tumeur osseuse du jarret ».

L'italien nous transmet *carrousel* et l'espagnol
genêt ainsi que la vieille expression *monter à la genette,*
tous deux d'après l'arabe *zenâta,* nom d'une tribu
berbère renommée pour la valeur de sa cavalerie.

3. **L'Islam moderne.** — A partir du XIVe siècle,
l'influence culturelle des Arabes cesse de se faire
sentir.

Ce n'est qu'à travers les fonds arabo-espagnols et
italiens qu'ils continuent à alimenter le lexique
français tout le long du XVe et du XVIe siècle.

Cette source d'ailleurs s'épuise et l'analyse des
mots arabes du XVIe et du XVIIIe siècle montre
qu'il s'agit d'une part de mots espagnols (*alquazil,
laquais,* etc.) que nous étudierons plus loin (cf.
p. 43) ; d'autre part de mots orientaux, non assimilés, d'origine littéraire ou touristique.

Notre liste fait apparaître deux couches chrono-
logiques : d'une part, un folklore arabe d'origine
littéraire ; d'autre part, plus tardif, un argot militaire lié à la conquête de l'Algérie.

Le Moyen Age nous a légué déjà un certain nombre de mots spécifiques, des désignatifs de fonction,
en particulier : *amiral, calife, émir, cadi, caïd, cheik,
iman, mufti.*

Ces mots se multiplient au cours des XVIIe et
XVIIIe siècles : *fakir, houri, marabout, validé, almée,
uléma, vali, djinn, goule.*

Ils sont presque tous d'origine littéraire. C'est de même à la mode du voyage en Orient que nous devons l'introduction d'un certain nombre d'objets, de préparations : *babouche, kandjar, kohl, racahout* et le verbe *masser* qui indique l'origine orientale du massage ; le mot et la chose nous sont venus avec *hammam*, vraisemblablement de Turquie.

A partir de 1830, apparaît un autre type de mots avec la conquête de l'Algérie ; on les rencontre d'abord dans l'argot militaire et de là ils passent dans la langue populaire. L'implantation de la légion étrangère et des bataillons disciplinaires en Algérie a favorisé le passage de ces mots arabes et on en dénombre une quarantaine.

Certains continuent à avoir une dénotation indigène : *casbah, méhari, oued, djich, médersa, chéchia.*

Beaucoup ont été assimilés avec des connotations argotiques : *smala, nouba, cleb, toubib, barda, maboul, macache,* etc. La liste parle d'elle-même (cf. p. 14).

II. — Le Moyen-Orient

On a vu le rôle des Arabes comme intermédiaires entre l'Occident et le Proche-Orient.

L'inventaire des mots d'origine arabe a fait apparaître nombre de termes venus de la Perse, de Byzance, des Turcs.

Ces quatre grands empires — et leur langue — sont étroitement imbriqués au cours d'un millénaire d'histoire.

Il nous faut donc examiner les mots d'origine gréco-byzantine, persane, turque ; nombre de ces termes d'ailleurs venus par les Arabes et les comptoirs italiens.

1. **Les mots persans.** — Voici la liste des mots d'origine persane. Nous avons séparé les termes

arabo-persans et turco-persans ; c'est-à-dire venus
de Perse par l'intermédiaire des Arabes ou des Turcs.

Mots persans

XIIᵉ.	carquois < grec	XVIIᵉ.	houri ar. >
XIIᵉ.	écarlate ar. >		badiane (anis)
XIIIᵉ.	caravane		guèbre
1413.	casaque	1780.	calencar (toile peinte)
1432.	bazar	XVIIIᵉ.	péri (génie ailé)
1559.	derviche		badamier (amande)
1653.	schah	1823.	narguilé (noix de coco)
1673.	caravansérail		

Mots arabo-persans (cf. Arabes)

XIᵉ.	azur		marcassite
XIIᵉ.	barbacane ?		timbale
	échec		anil
XIIIᵉ.	tambour		khan
	balais		rob
	cramoisi	XVIIᵉ.	babouche
XIVᵉ.	bézoard		lilas
XVᵉ.	jasmin		safran
	laque		roc

Mots turco-persans (cf. Turcs)

XVIᵉ.	spahi	XVIIIᵉ.	chacal
XVIIᵉ.	kiosque		pilaf
	divan	XIXᵉ.	bakchich
	firman		khédive

Mots hindou-persans

1666.	nigault	chale

Il s'agit surtout de termes techniques dont la
plupart ont été assimilés en même temps que les
objets qu'ils désignent : *casaque, bazar, carquois,
tambour, timbale, babouche, kiosque, divan.*

La terminologie des échecs, de même que le
jeu lui-même, est persane : *échec* signifie « roi » ;
(cf. schah) ; *rob, roc* (*mat* est arabe et signifie
« mort »).

Le persan nous a donné aussi des produits tincto-
riaux : *écarlate, cramoisi, anil ;* des fleurs comme le
lilas, le *jasmin ;* des épices comme le *safran.*

2. Les mots grecs. — Byzance nous a légué un nombre notable de mots qui nous sont venus d'Italie par une double voie : d'une part la Sicile grecque, d'autre part le commerce vénitien.

Il s'agit surtout de termes maritimes : *chaland, galée, gouffre, falot, fanal, galère, chiourme.*

De produits agricoles : *le riz, l'endive, le céleri.*

On notera aussi le caractéristique *trucheman* et *drogman* représentant le même mot arabe *tourdjouman*, « interprète », dans lequel on peut lire le contact des deux cultures.

Parmi les mots grecs, il faut faire une place à part à ceux qui sont passés par l'arabe. On notera qu'ils remontent plutôt à la Grèce alexandrine qu'à Byzance et réfèrent surtout à l'alchimie (cf. *supra*, p. 14).

Mais voici la liste de ces mots :

Mots grecs

1080. chaland	1486. émeri < ital.
galée	moyen
1100. gingembre Orient ?	1500. moustache < ital.
1170. besant	1642. ganache < ital.
gouffre < roman	1680. céleri < ital. < lat.
XIIᵉ carquois pers.	
tapis	*Arabo-grec* (cf. *arabe*)
timbre	
trucheman ar. >	XIIIᵉ. alambic
1212-1553. drogman < ital. ar. >	élixir
1270. riz < ital. < lat.	quintal
XIIIᵉ. endive < lat.	XIVᵉ. alchimie
1350. boutique < prov.	calfat
1371. police < ital. < lat. méd.	carvi
1372. falot < ital.	saphène
XIVᵉ. fanal < ital.	XVIᵉ. estragon
1402. galère < catal.	cuscute
XVᵉ. chiourme < ital. < lat.	talisman
XVᵉ. caloyer	copte

3. Les mots turcs. — Au Xᵉ siècle les Turcs, peuple asiatique dont la langue appartient au groupe touranien, déferlent sur l'Empire arabe.

Ils envahissent d'abord la Perse, puis ultérieurement Byzance et de là la Grèce et les Balkans, fondant l'Empire seldjoukide et ottoman.

La Turquie restera une des grandes puissances du monde moderne, étroitement mêlée aux luttes politiques et aux intrigues diplomatiques de l'Europe.

Il est remarquable, toutefois, que la culture turque — et donc sa langue — n'a laissé que peu de traces. Parmi le petit nombre de mots spécifiquement turcs citons : des noms de personnes : *aga, pacha, dey, odalisque, chaouch* ; quelques objets : *caftan, dolman, chibouque, yatagan.*

La plupart des mots venus de Turquie sont en fait d'origine persane et surtout arabe ; et il est intéressant de noter que si les Turcs ont considérablement emprunté aux Arabes, ceux-ci, en revanche, n'ont pris que très peu de mots de leurs envahisseurs et maîtres ottomans.

Un certain nombre de mots turcs sont passés par l'Italie : *sorbet, avanie, bergamote, caïque, janissaire* (cf. *supra* Mots italiens, p. 73).

Particulièrement intéressant est le mot *avanie*, qui est d'ailleurs un emprunt turc à l'arabe *hawwân*, « traître ». L'italien *avania* désignait « les présents que les pachas turcs faisaient payer injustement aux marchands chrétiens ».

Le français, outre *avanie*, connaît une forme apocopée *vanie* ; ainsi qu'un très ancien *avenie* (XIIIe siècle) au sens de « génuflexion », mais dont la parenté avec le moderne *avanie* est mal établie.

Le turc, aussi, est passé par le hongrois, langue parente, d'un peuple qui s'est trouvé au contact immédiat des Turcs et a traditionnellement défendu l'Europe aux marches de l'Empire ottoman. Il s'agit surtout de mots de la terminologie militaire : *dolman, hussard, schabraque* (cf. Mots hongrois, *infra*, p. 38).

La plupart des emprunts au turc sont tardifs. En voici la liste :

Mots turcs

1422.	bey	1664.	effendi
1433.	vizir pers. >	1666.	firman pers. >
1537.	caftan	1676.	chacal pers. >
	doliman	1751.	bezestan
1538.	turban pers. >	1780.	ottomane
1537.	aga	1790.	dol (tambour)
1540.	sultan ar. >	1792.	cachalong (mot kalmouk)
1541.	bairam	XVIIIᵉ.	vali ar. >
1546.	mufti ar. >	1823.	colback (1657 ?)
1553.	mahonne ar. > ?	1829.	raki ar. >
1558.	spahi pers. >	1831.	chibouque
1559.	iman ar. >	1834.	pilaf pers. >
	pacha	1859.	hammam ar. >
1568.	muezzin ar. >	1860.	bakchich pers. >
XVIᵉ.	chagrin	1869.	vilayet ar. >
1606.	minaret ar. >	1877.	khédive pers. >
1608.	kioske pers. >	XIXᵉ.	sendouk
1611.	tulipe		yatagan
1624.	odalisque		courbache
1628.	dey		chaouch
1653.	divan pers. >		cavas ar. >

La chronologie permet de lire l'influence de la mode et de la politique : l'ambassade turque auprès de Louis XIV et les subséquentes turqueries de Molière ; l'Orient des *Lettres persanes ;* celui des *Orientales.*

On a ainsi connu des poussées de turcomanie qui ont laissé leurs traces dans la littérature sous forme de nombreux mots exotiques que les dictionnaires n'ont pas retenus : *azomoglan, icoglan, imaret, kaïmac, padischah, raïa* (1), etc.

(1) Faute d'une meilleure place signalons ici en note, les mots hébreux qui représentent un type d'emprunts à part. Ce sont des traductions de la Bible, la plupart très anciennes (XIIᵉ et XIIIᵉ). En voici un certain nombre qui sont sortis de la liturgie pour tomber dans l'usage courant : *pâques, alleluia, amen, chérubin, sabbat, séraphin, manne, hosanna, jubilé, géhenne, zizanie, messie, rabbin, cabale, pharisien, éden, tohu-bohu.*

Géhenne ou « vallée du Hinnom », maudite par suite du sacrifice des Juifs à Moloch, désigne l'enfer. Le mot s'est croisé avec l'ancien français *gehine,* « aveu », d'où est sorti notre verbe *gêner* au sens primitif de torturer.

Zizanie vient de l'hébreu par le grec ecclésiastique où il signifie « ivraie ». De la parabole évangélique de l'*ivraie* où on a tiré l'expression *semer la zizanie* au sens de « mésintelligence ».

Le *tohu-bohu* est dans la Genèse le chaos originel, avant la création du monde. La forme phonique a favorisé l'emploi expressif du mot et l'a doté de connotations acoustiques.

Chapitre II

L'EUROPE NORDIQUE ET CENTRALE

I. — Les Pays-Bas

Le nombre des emprunts reste faible au Moyen Age ; c'est que la plus grande partie des échanges se fait par le latin des clercs.

Les langues vulgaires, toutefois, restent en contact par l'intermédiaire du commerce. C'est pourquoi l'Italie et les Pays-Bas sont les deux principaux foyers d'emprunts durant le haut Moyen Age.

Avec l'Angleterre, l'Espagne et même l'Alle-magne, nos relations culturelles et linguistiques sont à peu près nulles jusqu'au XVᵉ siècle ; et sur les quelque cent emprunts des XIᵉ, XIIᵉ et XIIIᵉ siè-cles (compte non tenu de l'arabe), 40 sont d'origine néerlandaise.

Ces mots ne sont pas vraiment « étrangers », mais appartiennent à un ensemble économique et culturel flamand qui réunit la France du nord et les Pays-Bas dans une étroite symbiose ; d'autant plus que le néerlandais et le flamand sont des dialectes d'origine francique et qu'il est souvent difficile, en face d'une forme archaïque franque, de décider si elle est venue du Nord ou appartient au superstrat germanique du français.

Cette parenté linguistique n'a pu d'autre part que favoriser l'emprunt et l'assimilation rapide de mots néerlandais au sein de l'espace politique qui englobe le nord de l'Europe dans un même Empire franc. Au traité de Verdun en 843, le domaine de Louis le Germanique comprend le Hainaut, le Brabant, le Limbourg et les Pays-Bas jusqu'à Hambourg et Brême ; il est bilingue. Et lorsque s'opèrent les clivages politiques, les deux communautés linguistiques conservent une longue frontière commune qui enfonce le flamand jusqu'à Lille cependant que le wallon remonte jusqu'à Maestricht.

Cette frontière reste très ouverte, et durant tout le Moyen Age une riche culture flamande prospère au cœur du domaine français.

Nos plus grandes œuvres médiévales sont picardes ou picardisantes. C'est le cas de nos plus anciens documents littéraires : la *Cantilène de sainte Eulalie*, la *Vie de saint Alexis*, le *Sermon de Jonas* (XIe siècle) ; au XIIe siècle le *Jeu de saint Nicolas*, *Aucassin et Nicolette* ; au XIIe le *Jeu de Robin et de Marion*, le *Jeu de la Feuillée* ; au XIVe la *Chronique rimée* de Philippe Mousket, la *Chronique* de Froissart ainsi que les grands *Mystères et moralités* du XVe siècle sont wallons.

Cette activité littéraire (et il faudrait parler de la peinture, de la musique, de l'architecture) est le reflet d'une vie économique riche et intense. Or c'est par l'industrie et le commerce que s'opèrent les échanges linguistiques.

1113.	crabe, anc. nor. >		groseille
1155.	ralingue, anc. nor. >		bouline
	saur		lof
	étricher	1220.	hie
	échoppe	1278.	cabillaud
	bluter	1280.	étape
	gaufre	1288.	vacarme
	rafle	1290.	écran
	bar (poisson)	XIIIe.	coche (bateau)
	brique		flet
	havre		ale
	haler		fret

	escalin		
	lippe	1493.	belître (all. ?)
	flèche, scand. >	XVᵉ.	pec
	maquignon		guiller
	béguine		orin
	amarrer		botequin
	maquereau		lambrequin
	éperlan		hobereau
	choquer		hausse-col
	rigoler		varlope
	creton		brodequin
	godet	1512.	caravelle (port. ?)
	plaquer	1517.	pompe
	bloc	1522.	chaloupe
1304.	étaie	1525.	frelater
1316.	botte (de foin)	1527.	nope
1319.	dalle, anc. nor. >	1528.	gabord
1326.	by	1529.	babord
1328.	riper	1530.	colin
	tringle	1532.	grabuge
1350.	guiper	1534.	faquin
1356.	boulevard	1545.	tribord
1368.	paquet	1549.	mannequin
1373.	digue	1552.	hisser
1376.	rain	1558.	loterie (it. ?)
	blocus	1564.	cauchemar
1382.	osset	1572.	frise
	varangue	1573.	raban
	quille, anc. nor. >	1584.	drôle
	beaupré (angl. ?)	1596.	guilée
	raque	1597.	heurtequin
1387.	étiquer	XVIᵉ	gibelet
	stock fish		espiègle
1393.	aiglefin		bouquin
1396.	vase		bransqueter
1397.	kermesse		freluchet ?
XIVᵉ.	drogue		ange de mer ?
	coquemar		bâcler (lat. ?)
	crèque		lamaneur
	buse		flûte (navire)
	hourque		guilde
	matelot		blaser
	bague (-age)		bourset
	vilbrequin	1606.	vrac
	ploc	1607.	accore
	laie	1610.	affaler
	caquer	1611.	droguerie
	hanebane		berme
	houppe	1631.	épisser
1400.	locman	1634.	pinque
1405.	rame (châssis)	1642.	cajute
1435.	bière	1643.	bélandre
1443.	houblon		clamp
1441.	canif (angl. ?)	1649.	micmac
1445.	flasque	1654.	tanguer
1467.	manne	1663.	sapan, malais >
1476.	corvette		cacatoès, malais >
1482.	gruger	1664.	stil
1483.	rumb (angl. ?)	1666.	pamplemousse
1491.	démarrer	1671.	colza
			dock

1672.	berne
1676.	troussequin
1677.	cosse
	crampe
1678.	capre
	moque
	dogre
1680.	ramequin
1681.	lège
1682.	raguer
1683.	loch
1687.	faséier
1690.	coq
	boyer
	merlin
	fauber
1694.	cartahu
	dame
	crône
	gui
	anspect
XVIIᵉ.	rhingrave < all.
	bucail
	bouquette
	bouterame
	étangue
	drille
	brequin
	brandevin
	doguer < dial. pic.
	nable
	quinquenove
	stathouder
	polder

1702.	last
	cague
	senau
	damelopre
	prame, allem. >
1722.	foc
	blague
1723.	cliver
1750.	pleutre
1751.	came (allem. ?)
1752.	gland
	rouf
1755.	drome
1769.	risban
1769.	moquette
1771.	faille (étoffe)
1773.	hublot
1775.	cancrelat, Am. Sud >
1783.	bosse
	cambuse
1784.	grappe (garance)
1790.	craminer
XVIIIᵉ.	hère
	yole, scand. >
1811.	branderie
1820.	marprime
1838.	beaucuit
	bitter (allem. ?)
1870.	guelte (allem. ?)
1867.	braderie
XIXᵉ.	couque
	braque
	broquelin
	chope (allem. ?)

Dans l'économie européenne les Hollandais sont des armateurs. Le principal de leur apport linguistique concerne des types de bateaux ainsi que l'armement et le fret.

Ces mêmes champs sémantiques se retrouvent tout au long de nos rapports linguistiques avec les Pays-Bas, en particulier au XVIIᵉ siècle, siècle d'or hollandais au cours duquel ses rapports s'intensifient, pour bientôt s'éteindre et tomber à zéro à partir du XIXᵉ siècle.

NOMS DE BATEAUX : *coche, hourque, corvette, chaloupe, flûte, pinque, belandre, sapan, dogre, boyer, damelopre, quinquenove, senau, prame, tole.*

CONSTRUCTION NAVALE : *clamp* (pièce de charpente), *moque* (bloc de bois), *drome* (poutre), *bloc, étaie, carangue, dalle, quille, beaupré, gui, anspect, crône* (grue), *rouf, hublot, cambuse, marprime* (aiguille à coudre les voiles).

CORDAGES ET MANŒUVRES : *ralingue, étricher* (nettoyer les cordages), *haler, bouline, choquer, riper, hisser, raban, rogner, merlin* (cordage), *cartahu* (cordage), *épisser, orin.*

VOILURE ET MANŒUVRE : *lof, amarrer, rumb, démarrer, affaler, tanguer, faséier, loch, foc.*

DIVERS : *havre, pompe, lameneur* (pilote), *ascore, dock, coq* (cuisinier), *fauber, cambuse, matelot, locman, last* (lest).

La terminologie maritime médiévale est néerlandaise, dans la mesure où le commerce du Nord se fait par les fleuves, les canaux, la mer ; *le coche, la hourque, la bélandre,* etc., sont des bateaux plats destinés aux transports fluviaux. Beaucoup de mots trouvent leur véritable explication dans ce cadre d'un trafic maritime.

La *pompe* est venue sur les bateaux où elle sert à vider l'eau de la cale.

Le *brandevin* a dû être une boisson de matelots.

La *dalle* est le tuyau d'écoulement de la pompe avant de devenir la pierre de l'évier.

Si *cancrelat*, mot d'origine américaine, est venu par le néerlandais, c'est dans les cales où il infecte la cargaison.

Frelater signifie à l'origine transvaser une marchandise. *Paquet* est un terme de fret ; de même que *vrac* dans l'expression *en vrac* au sens de « mauvais, mal salé » et qu'on applique d'abord à des harengs mal rangés dans la caque.

Et ceci nous amène à une autre spécialité hollandaise, les poissons : *crabe, bar, cabillaud, flet, éperlan, stockfish, aiglefin, colin.*

L'art de conserver les poissons est aussi attesté par *saur*, *caque*, *caquer*, ainsi que *vrac*.

Les digues et terrassements sont de même une spécialité de la Hollande d'où : *digue*, *dame* (digue), *risban* (terre-plein), *polder* et *boulevard*, du néerlandais *boleverc* qui désigne à l'origine un « rempart fait de terre et de madrier » ; *hie*.

En dehors de ces spécialités on trouve des produits du pays : *la bière*, *le houblon*, *le bucail* ou *bouquette*, les *gaufres*, le *colza*.

Quelques noms d'outils, qui ont pu venir par l'intermédiaire de la construction navale : *varlope*, *gibelet*, *vilbrequin*.

D'une longue histoire coloniale, les Hollandais ne nous ont rapporté que peu de chose : *le sapan* (malais), *le cacatoès*, *le pamplemousse*.

A la Hollande nous devons aussi *les lambrequins*, *la faille*, *le hausse-col*, et *la rhingrave*. C'est peu, et il est extrêmement curieux que ni la peinture du Moyen Age flamand, ni celle du siècle d'or hollandais n'ont laissé aucune trace dans notre vocabulaire alors qu'elles en occupent une aussi grande et aussi importante dans nos musées.

Non moins surprenante est la subite et complète stérilité linguistique de la Hollande dès la fin du XVIIIᵉ siècle.

Les dictionnaires mentionnent en tout et pour tout 10 termes empruntés au XIXᵉ siècle. Encore six sont-ils marqués de l'astérisque des mots désuets ou dialectaux.

Branderie, *marprime*, *beaucuit* sont sans doute anciens. *Conque*, *braque*, *broquelin* sont des régionalismes qu'on ne rencontre guère en dehors des dialectes du Nord.

Bitter, *guelte*, *chope* pourraient être allemands aussi bien que néerlandais.

Reste *braderie*, terme récent et vivant qui est parti des Flandres et nous est venu par le dialecte de Lille.

En somme une culture qui est techniquement, socialement, politiquement une des plus évoluées de l'Europe moderne ne nous a pas donné un seul mot depuis plus de deux siècles. C'est là un phénomène curieux dont il est difficile de saisir les raisons. Pour ma part, je serais enclin à y voir l'exemple d'une culture extrêmement prospère mais aliénée et ouverte aux grands courants de la civilisation moderne sur lesquels elle s'est laissée porter — la France, l'Angleterre et aujourd'hui l'Amérique.

II. — Les mots allemands

Les mots d'origine allemande sont d'environ 170, ce qui est relativement peu.

L'inventaire montre que ces emprunts n'apparaissent guère avant le xve siècle, ce qui vérifie une fois de plus l'observation que la langue populaire médiévale n'emprunte pas.

Les dictionnaires nous donnent une vingtaine de mots empruntés avant 1400. Mais il est évident que la plupart appartiennent au fonds primitif et sont beaucoup plus anciens que n'atteste leur première apparition dans un document littéraire.

Ainsi *sale* n'est pas attesté avant le xiiie siècle ; mais on relève *salir* dès 1180 et le mot appartient vraisemblablement au fonds héréditaire.

De même il est difficile de dire dans quelle mesure il faut voir des choses allemandes dans *sarrau, ribaud, brèche, brelan, brouet, bride, bretelle, souquenille, sale, blafard, hutte* qui datent du haut Moyen Age.

En revanche *hanse* et *landgrave*, dès le milieu

du XIII°, attestent le contact avec la réalité germanique.

La répartition de ces emprunts à l'allemand est très homogène. Outre des mots « allemands », on trouve essentiellement deux types d'emprunts : des termes relatifs à la vie militaire — de loin les plus nombreux ; et des termes minéralogiques.

Mais voici tout d'abord une liste chronologique des mots d'origine allemande :

XII°

sarrau
ribaud
brèche
locher
brelan

XIII°

brouet
bouquetin < alémanique
sale
ciron < dial. est
fauder (plier le drap)
hanse
landgrave
bride
bretelle
souquenille

XIV°

blafard
butin
halbran
bourgmestre
hutte

XV°

1401. gaupe
1404. haillon
1413. burgrave
1414. auroch
       élan baltique >
1447. cric
1459. hamée (hampe)
1460. rosse
1475. arquebuse
       lansquenet
       gobelin (lutin)

XVI°

1507. fifre
1536. haveron

1543. gueuse (fonte)
1544. pistole, tchèque >
1545. coche (voiture), hongrois >
1546. trinquer
1550. huguenot < alémanique
1552. renne, scand. >
       gangue
1556. hase
1575. margrave
1578. matois
1585. halte
1595. loque < dial. est
1596. blèche
1597. bismuth
1598. sabre, hongrois >
       brindestoc (bâton à sauter)
       canapsa (havresac)
       catine (minér.)
       hère
       reître

XVII°

1605. heiduque, hongrois >
       hussard, hongrois >
1611. épeiche (zool.)
       gulpe (blason)
       brinde
1628. glasse
       blinde (milit.)
1665. brandebourg
1650. bivouac
1655. nouille
1661. calèche, tchèque >
1666. zinc
1667. vaguemestre (mil.)
1672. havresac
       cromorne (cor)
1680 ? rocambole
1690. velte
       foudre (tonneau)
       potasse (néerl. ?)
1693. cible

1694. gibelot
      étraque (maritime)
      chenapan
1697. obus, tchèque >
1698. spalt (min.)
1699. piétiste
      thalweg
      traban (hallebardier)

XVIIIᵉ

1700. édredon
      drège (peigne de fer)
1723. cobalt
1737. meringue (vient du franç. ?)
1746. vampire, serbe >
1748. uhlan
1749. quartz
1750. quenelle < Alsace
1751. bocambre (marteau à écraser)
      nickel, suédois >
      blende (min.)
1752. vidrecome (verre à boire)
1756. brindezingue
      flinquer (mil.)
1762. cran (raifort)
      loustic
1763. dolman, hongrois >
1765. harmonica (angl. ?)
1767. sabretache
      ranz < suisse
1769. halde (min.)
1771. glaçure
1773. feldspath
1775. kirsch
1776. choucroute < dial. als.
1779. gneiss
1790. cravache, hongrois >
1791. lagre (litière)
1792. paour (lourdaud)
1798. vasistas
      vermouth
      hamster (zool.)
      velche

XIXᵉ

1800. schabraque, hongr. >
      valse
1802. orchestrion
1809. képi
1820. schlague
1832. philistin

1834. mastoc
1835. landwehr
1836. accordéon
1838. opérette, ital. >
1840. vison
1842. trolle (bot.)
      hornblende (min.)
      blockhaus
1845. lied
1855. bock (bier)
      redowa (danse) < all. < tch.
1859. fuchsine
1868. philippine
1874. nixe
1882. krach
1885. edelweiss
1887. flingot < dial. est
1893. bretzel < dial. als.
1899. aspirine
      alpenstock
      burg (litt.)
      chouflique
      choumaque
      croissant
      clin foc (néerl. ?)
      crompire < dial. est
      druse (min.)
      elfe, angl. >
      fifrelin
      frichti
      graben
      ester
      estourbir
      marcaire < dial. est
      mouise < dial-arg.
      nix
      schlitte < dial. est
      yod
      youdler

XXᵉ

1915. ersatz
1925. putsch
      führer
      mastrelle (techn.)
      murmel
      taube
      Mots allemands
      kruiser, rixdale, mark, thaler ; feldmarechal, Walkyrie, Walhalla, Vehme.

1. **Mots « allemands ».** — Parmi les mots désignant des choses purement allemandes nous trou-
vons : *hanse, landgrave, bourgmestre, burgrave, mar-*

grave ; tous mots qui apparaissent avant le XVIe siècle et auxquels on ajoutera des noms de monnaie :
kruiser, rixdale, mark, thaler.

A l'Allemagne romantique nous devons des mots
comme *Walkyrie, Walhalla, Vehme ;* et à l'Allemagne
nazie : *führer, putsch* et *ersatz.*

A ces mots « allemands » se rattachent des termes
qui ont pris une connotation affective — le plus
souvent péjorative.

Ainsi *hère* correspond à l'allemand *Herr*, « seigneur », « monsieur », et s'est dévalorisé dès le
XVIe siècle par le même procès qui entraîne la dégra-
dation de *sidi. Ross*, « cheval », *reiter* « cavalier » ont
pris de même une valeur péjorative dans le français
rosse et *reître* (cf. hispano-arabe *laquais*).

2. Choses d'Allemagne. — Parmi les choses venues
d'Allemagne ou par l'Allemagne — en dehors de
termes militaires ou minéralogiques — nous trou-
vons :

— Des animaux : *le bouquetin, l'halbran* (canard),
l'auroch, l'élan, le renne, la hase, l'épeiche (sorte de
pic), *l'hamster, le vison, le murmel.* On voit qu'il
s'agit surtout d'animaux nordiques ou est-européens
auxquels l'Allemagne a servi de relais.

Bouquetin présente une forme curieuse. C'est
un mot alpin, venu par la Suisse, sous une
forme ancienne *bukesteins, bocestain* (XIIIe siècle)
qui représente l'allemand *steinbock*, « bouc des
rochers ».

— Peu de plantes, en dehors de *l'edelweiss* et de
la trolle, le cran (ou raifort).

— On trouvera quelques termes culinaires :
nouille, quenelle, kirsch, choucroute, bretzel qui sont
tous alsaciens et représentent donc des emprunts
dialectaux plutôt qu'étrangers.

Bock toutefois est une abréviation de l'allemand *bockbier* qui désigne une bière fortement alcoolisée.

Croissant est viennois, c'est le calque de l'allemand *Hörnchen* ; les premiers croissants ayant été fabriqués à Vienne en 1689 pour célébrer la levée du siège par les Turcs — dont le croissant est, comme on le sait, le symbole.

C'est encore une anecdote viennoise qui a fourni le mot *krach*, onomatopée germanique pour désigner le « craquement » financier du vendredi 9 mai 1873, mot repris en France à l'occasion du « krach » de l'Union générale en 1882.

A l'Allemagne nous devons aussi *l'édredon, la valse* ainsi que *l'accordéon* et *l'opérette*, mot viennois, lui-même formé sur l'italien *opéra*.

Enfin c'est d'Allemagne que nous sont venues la cérémonie du *brinde* (ancienne forme de toast) et l'habitude de *trinquer*.

Brinder, « porter à la santé de quelqu'un », est un délocutif formé sur l'expression *bring sie dir*, « je te la porte » (sous-entendu « la santé »). De *brinde* est sortie l'expression familière *être dans les brindes*, altérée en *être dans les brindezingues* (1756) — dans les *bring sie dir ;* qui survit dans l'argot moderne sous la forme *être brindezingue*.

Ce type de mot est intéressant dans la mesure où il atteste l'existence d'une tradition populaire et orale (sans doute l'armée).

On retrouve ce même type d'étymologie populaire dans le jeu de la *philippine*, où après s'être partagé deux amandes jumelles on doit saluer l'autre d'un « philippine », mot qui représente l'allemand *Vielliebchen*, c'est-à-dire « bien-aimé ». Mais le curieux est que l'allemand est lui-même une étymologie populaire de l'anglais *Valentine*, « patron des amoureux ».

L'Allemagne et l'Autriche, par leur position centrale en Europe, ont servi de relais à de nombreux mots nordiques et orientaux.

On a déjà dit que *l'auroch, l'élan, le renne, le vison* nous sont venus par l'Allemagne.

D'Autriche, sans doute par l'intermédiaire de l'armée, nous sont venus aussi des mots tchèques, hongrois, serbes. Ainsi :

— tchèque : *pistole, calèche, obus, redowa* (danse) ;
— hongrois : *coche, sabre, heiduque, hussard, dolman, cravache, schabraque,* ainsi que le *vampire* serbe.

On voit que beaucoup de ces mots réfèrent à des choses militaires ; c'est de loin le champ sémantique le plus riche parmi les emprunts d'origine allemande.

3. **La terminologie militaire.** — Cela tient évidemment au goût des Germains pour l'armée et à leur science en ce domaine ; à une longue suite de guerres et d'occupations qui ont mis les deux armées en contact ; mais surtout au fait que les rois de France ont, tout au cours de leur histoire, demandé des régiments mercenaires aux principautés allemandes et aux cantons suisses.

Parmi ces emprunts on trouve des armes : *hamée* (ou hampe de lance), *arquebuse, brindestoc* (ou bâton à sauter), *sabre, cible, obus, flingue.*

On trouve des désignatifs de troupes : *lansquenet, reître, traban, hussard, heiduque, uhlan.*

On trouve surtout des pièces de l'uniforme, dont la plupart nous viennent des régiments hongrois : *brandebourg, dolman, sabretache, cravache, képi, schabraque.*

Enfin différents mots : *fifre, halte, bivouac, vague-mestre, havresac, quartier-maître.*

4. Minerais. — De bonne heure l'Allemagne a une industrie minière avancée.

Dès le XVIe siècle, François Ier fait appel à des mineurs du Harz pour organiser les mines françaises.

Voici une liste chronologique des principaux minerais dont le nom (et la chose) nous sont venus d'Allemagne :

XVIe   : *gueuse* (de fonte), *gangue* (à l'origine un filon minier), *bismuth ;*

XVIIe : *zinc, potasse, spalt ;*

XVIIIe : *cobalt, nickel, quartz, blende, halde, feld-spath, gneiss ;*

XIXe   : *hornblende, druse.*

III. — Les mots scandinaves

L'apport scandinave comporte une cinquantaine de mots. Mais il est très difficile d'en faire une analyse historique. La plupart sont anciens ; la date attestée en est illusoire et beaucoup semblent appartenir à un fonds prélittéraire. Ils nous sont venus par deux voies : le néerlandais et surtout le dialecte normand dans lequel ils devaient avoir une existence ancienne, datant de l'établissement des envahisseurs normands.

Voici la liste de ces mots :

XIe-XIIIe

busse < néerl.
cingler
dran (cordage)
crabe < néerl.
dalle < néerl.
duvet
gaber
gord
guinder
harnais
hauban
hune
lof < néerl.

ralingue < néerl.
rangier (blason)
ris
titre (vénerie)
toudre < dial. norm.
touer
turbot < dial. norm.

XIVe

1336. crique
1382. tille (hache)
tillac
bitte
quille < néerl.

1385. marsouin
bidon < dial. norm.

XVIe

1573. étrave
1596. étambot
flion < dial. norm.
homard

XVIIe

1611. tolet < dial. norm.
1627. narval
1690. vibord
quenotte < dial. norm.
vaigre

XVIIIe

1713. havenet
1723. rogue (zool.)
1760. harfang (zool.)
1764. eider < islandais
1780. écarver (mar.)
1783. geyser < angl.
tungstène < all.
yole < néerl.

XIXe

1803. rutabaga
1823. rune
1841. ski < angl.
slalom

Comme on le voit il s'agit presque uniquement de termes maritimes : *cingler, hauban, hune, lof, ris, touer, tillac, crique, bitte, quille, étrave, étambot, tolet, vibord.*

A quoi on ajoutera : *le crabe, le turbot, le marsouin, le homard, le narval.*

Il est difficile de considérer ces mots comme des emprunts scandinaves ; ce ne sont que des emprunts néerlandais ou normands.

A l'époque moderne, cependant, apparaissent un petit nombre — un très petit nombre — de termes, attestant un contact avec les pays nordiques : *eider* (1764), *geyser* (1783), *tungstène* (XVIIIe), *yole* (XVIIIe), *rutabaga* (1803), *rune* (1823) et enfin *ski* (1841) suivi au XXe d'une terminologie du *ski* (*slalom*, etc.).

Encore la plupart de ces mots nous sont-ils parvenus par l'intermédiaire de l'allemand ou de l'anglais.

Si l'on s'en rapporte aux dictionnaires, la seule contribution directe des langues scandinaves modernes à notre lexique semble être le *rutabaga.*

IV. — Les mots slaves et hongrois

Voici une liste des mots d'origine slave (russe, polonais, tchèque, serbe) et hongroise :

Mots slaves

XII⁰	esclave (mot latin)	1863.	cran < all. < rus.
XIIᵉ.	sable < pol.	1855.	redowa < all. < tch.
XVIᵉ.	voïvode	1836.	schapska < pol.
1534.	zibeline < it. < rus.	1842.	polka < pol.
1544.	pistole < all. < tch.	1855.	samovar < rus.
1575.	sterlet < russe	XIXᵉ.	icône < rus. < byz.
1607.	ban < croate		bora < slovène
1637.	boyard < rus.		béluga < rus.
1651.	cravate < all. < sl.	1907.	mazout < rus. < arabe
1655.	pope < rus.	1910.	yaourt < bulg.
1679.	steppe < rus.	XXᵉ.	bolchevik < rus.
XVIIᵉ.	cosaque < rus.	1935.	robot < tch.
1661.	calèche < all. < rus.		
1723.	archine < rus.		*Mots « russes »*
1727.	moujik < rus.		sterlitz, toundra, vestre,
	mammouth < rus. <		barine, briska, prame,
	finl.		cossac, artele, obrak,
1752.	copeck < rus.		droschki, hetman, hos-
1746.	vampire < all. < serbe		podar, knout, vladika,
1767.	baba < pol.		kvas, koumis, piastre,
1768.	babalaïka < rus.		pospolite, guzla, rou-
1772.	magnat < pol.		ble, czar, etc.
1775.	ukase < pol.		
1790.	cravache < all. < pol.		*Mots soviétiques*
1796.	diagot < rus.		bolchevik, soviet, kom-
XVIIIᵉ.	vitchoura < rus.		sokol, spoutnik, kol-
1813.	isba < rus.		khose, etc.
1829.	mazurka < pol.		

Mots hongrois

1598. sabre < all.		1800. schabraque, turc >
1605. heiduque		1838. soutache
1705. hussard, bas grec >		1761. shako
1763. dolman, turc >		

Cet apport, on le voit, est essentiellement folklorique. Il réfère à des notions indigènes, à des choses qui ne sont jamais sorties de leur frontière, et dont seul le nom nous est parvenu à travers des récits de voyages et des modes, comme le succès du roman ou du ballet russes.

Parmi les choses qui ont suivi le mot et ont été adoptées, citons : *zibeline, sterlet, steppe, cosaque, moujik, mammouth, vampire, ukase, cravache, mazurka, polka, icône, yaourt, robot, mazout.*

La plupart de ces mots ont une origine littéraire : *Vampire* (1746) est serbe et nous est venu par l'allemand *vampir.* Voltaire l'emploie dans son sens figuré à une époque où le *vampirisme* (1771) commence à être à la mode. Il nous revient aujourd'hui d'Amérique avec la *vamp* (1930). *Robot* (1935) a été tiré du tchèque *robota,* « travail, corvée », par Tchapek dans une pièce intitulée *Les robots universels de Rossum* (1921). *Mazout* (1907), du russe *mazout,* est la première contribution (linguistique) du monde slave à la civilisation occidentale technologique. Le mot semble venir de l'arabe *makhzulat,* « déchets ».

Il y a peu de chose à dire sur la dizaine de mots hongrois qui sont tous des termes militaires, référant aux riches uniformes des régiments hongrois de l'armée autrichienne ou française. Beaucoup sont d'origine turque et sont venus du hongrois par l'allemand : *sabre, heiduque, dolman, schabraque, soutache, shako.* Quant à *cravache* (1790) il semble polonais ; *cravate* représente une adaptation de *croate* (1651) et désigne la bande de linge que portaient autour du cou les mercenaires du régiment de *Royal-Cravate.*

Chapitre III

L'ESPAGNE ET LE PORTUGAL

I. — L'Espagne

Voici la répartition chronologique des quelque 300 emprunts à l'Espagne :

XIIe-XIIIe .	néant	XVIe	 85	XIXe	 32
XIVe	 5	XVIIe	 103	XXe	 3
XVe	 11	XVIIIe	 43		

De cet inventaire, il ressort que l'Espagne médiévale est restée à l'écart du courant commercial qui va de l'Orient à la mer du Nord en passant par l'Italie vénéto-lombarde, les foires de Champagne et les Pays-Bas (cf. *supra*, p. 17). Le contact avec l'Espagne s'établit sur la fin du XVIe et le XVIIe où une vague d'hispaniolisme introduit quelques mots de civilisation du type *alcôve, duègne, majorat, quadrille*. Courant vite retombé ; et à partir du XVIIIe siècle l'influence espagnole est purement folklorique.

Cette culture espagnole est le véhicule d'une notable quantité de mots arabes ; mais d'une tout autre nature que ceux qui nous sont venus par l'Italie commerçante ; ces mots, installés de longue date dans l'Espagne mozarabe, y sont complètement assimilés : *alcade, argousin, calebasse*, etc.

L'Espagne, par ailleurs, du fait de sa place dans la découverte et la colonisation de l'Amérique nous a transmis un nombre important de termes exotiques : *maïs, chocolat, ouragan,* etc.

On doit donc considérer à côté du fonds « espagnol » au sens linguistique — c'est-à-dire roman — un strat mozarabe et un strat exotique.

1340. rouan	cabouille, Car. >
1360. guitare, grec > ar. >	1559. rubican
XIVᵉ genet, ar. >	XVIᵉ. embarcation
satin, ar. >	1559. curcuma, ar. >
moresque	1563. basquine
1407. infant	1568. coca, Am. Sud >
1420. cassolette	cacao, Aztèque >
1449. massepain, ar. >	1570. salsepareille, ar. >
1462. toque	1572. taud
1470. laquais, ar. >	1573. patache, ar. >
1498. caparaçon	1574. embarrasser (ital. ?)
XIVᵉ genette, ar. >	1576. alcade, ar. >
marrane, ar. >	1578. cochenille
pinasse	ananas, Guar. >
parangon	1579. eldorado
real	1581. junte
1515. igname, afr. >	alguazil, ar. >
cacique, arouak >	1582. castagnette
1516. nègre	canari
1529. savane, arouak >	1583. écoutille
1530. chamarrer, arouak ? >	1586. hégire, ar. >
1532. gaïac, Car. >	1587. nopal, azt. >
cannibale, Car. >	caïman, A.C. >
1533. hamac, Car. >	1588. copal, azt. >
mammee, arouak >	1590. sassafras, Am. S. >
1534. doublon	1591. chocolat, azt. >
hidalgo	casque
alezan	condor, Pérou >
1536. bandoulière	1598. guano, Pérou >
1539. parade	sapote, azt. >
sarbacane, ar. >	caragne, A.S. >
1542. morion	1599. tabac, arouak >
habler	pite, Amér. >
1544. parage (mor.)	romance
1546. alberge, ar. >	zinzolin, ar. >
anchois	XVIᵉ algarade, ar. >
1547. abricot, ar. >	arrobe, ar. >
1550. matassin, ar. >	bizarre
1551. azerole, ar. >	bandoulier
1533. pastille	bourrache
1545. morfil, ar. >	camarade
1554 ? cargaison (prov. ?)	fanfaron, ar. >
1555. mangle, malais >	garcette
yucca, arouak >	lama, Pérou >
ouragan, Antilles >	maline
capilotade	maniguette
calebasse, ar. >	mantille
maravedis, ar. >	martagon
maïs, Antilles >	mirlicoton
icaque, Caraïbes >	parer

	peccadille >	1671.	majorat
	sagaie, ar. >	1671.	rétable
	toucan, tupi >	1672.	vigogne, Pérou >
1600.	kermès, ar. >	1676.	créole, portugais >
	élémi, ar. >	1677.	marron (esclave)
	courbaton	1678.	alizes
1601.	goyave, Caraïbes >	1679.	quadrille
1603.	bourrique	1680.	estrade
	indigo		caramel
1604.	palabre		baste
1605.	sarabande, pers. > ar. >	1687.	séguedille
1606.	aubère, ar. >	1688.	récif, ar. >
	safran (marit.), ar. >	1690.	caye
	don (titre)		accastilles
	menin	1688.	carapace
1608.	felouque, ar. >	1694.	carangue
	compliment	XVIIᵉ.	alfange, ar. >
1611.	drave		armadille
	chinchilla		bécune
	casuiste		bigotelle
	carguer (prov. ?)		boliche
	tride		bulan
	carabe		codille
	vertugadin		escabèche
	moustique		estampille
	mancenille		falque
1612.	jade		fuero
1614.	canot, Caraïbes >		gourde (monnaie)
	mulâtre		gamache
	jonquille		guano
1617.	alpiste		gradille
1626.	embargo		grègue
1628.	tabloin		grenadille
1633.	maté, Pérou >		hacienda
1640.	lamantin, Car. >		hiloire
	nacarat, ar. >		liquidambar
	pirogue, Car. >		lunel (blason)
1642.	toper		maudille
	caracoler		mastigadour
1643.	caouane, A. S. >		matamore
1648.	alcôve, ar. >		natron, ar. >
1649.	pépite		médianoche
1650.	pagne		mohatra, ar. >
1354.	jalap, Mexique >		oille
1655.	duègne		paraguante
	corregidor		passacaille
1657.	hombre		quintille
1659.	toreador		salve (soucoupe)
	cortes	1700.	coronille
1660.	contrayerva		démarcation
1664.	mélasse	1701.	carcaise, grec >
	tourdille	1703.	mangouste, inde >
	vanille	1704.	subrecargue
1669.	broquel	1715.	sieste
1660.	cédille	1716.	alpaga, Pérou, quet-
	manille		chua >
1664.	abaca, Philip. >	1721.	adjudant
1665.	grandesse	1723.	estère
	chaconne		pacotille
1667.	caret		flottille

	embarcadère		
	cigare	1805.	noria, ar. >
1730.	cascarille	1807.	mayonnaise
1732.	marquette	1808.	vomito negro
1736.	gilet, turc > ar. >	1820.	guérilla
1749.	tomate, azt. >	1823.	matador
1752.	quarteron	1823.	transhumer
	camériste	1830.	camarilla
	platine	1830.	mirador
1755.	doradille	1831.	pampa, quéchua >
1762.	embarcation	1833.	résille
1764.	saynète	1835.	préside
1771.	avocat (poire), Car. >	1836.	nandou, guarani >
1773.	mandarine	1842.	gitane
1775.	silo		corozo, A.C. >
1776.	aviso		tornade
1781.	quadrille (danse)	1846.	gaucho, A.S. >
1783.	fandango	1849.	trabuco
1784.	brasero	1851.	placer
1788.	picador	1855.	dingue
1792.	cevadille	1867.	coyote, azt. >
1793.	carambole, malais >	1875.	intransigeant
1798.	alcarazas, ar. >	1882.	rastaquouère, hisp.-
	aubergine, ar. >		amér. >
XVIIIᵉ.	bouille	XIXᵉ.	banderille
	calenture		cabèche
	caracal, turc >		cañon, hisp.-amér. >
	frutille		cascabelle
	gattilier		champoreau
	mérinos, ar. > ?		lasso, hisp.-amér. >
	octavon		niñas
	ocelot, azt. >		salpicon
	serron		vare
	spadille		mistelle
	cacahouète, azt. >	1912.	tango, hisp.-amér. >
1804.	boléro	1935.	estudiantin
			rumba, hisp.-amér. >

1. L'Espagne mozarabe. — A l'espagnol roman se superpose un important strat arabe dont une partie est passée dans les emprunts du français à l'espagnol ; d'autant plus que ces mots sont le véhicule de choses et de notions nouvelles, inconnues du fonds roman primitif : les plus anciens emprunts à l'espagnol sont des mots arabes : *guitare, genêt, satin ;* et *moresque,* bien que latin d'origine, réfère à une réalité arabe.

Dans l'ensemble, l'hispano-arabe nous a fourni des termes d'hippologie, des plantes et produits d'origine orientale, des institutions.

— TERMES RELATIFS AU CHEVAL : *genêt, genette, alezan, zinzolin (rouan* est hispano-roman et *aubère,*

également espagnol, est d'origine obscure ; la tra-
ditionnelle étymologie arabe étant réfutée par
Wartburg).

— CHARGES ET PERSONNES : *laquais, alcade,
alguazil (argousin), marrane. Alcade* représente
l'arabe *al-qâid*, « juge », c'est un doublet de *cadi.
Laquais* dérive de *al-caïd*, « chef », par une forme
espagnole *alacayo* et une première forme française
alacays avec aphérèse de l'initiale : *l'alacays* > *le
laquais*. Non moins caractéristique est l'évolution de
sens du mot qui, de son acception primitive de « chef
arabe », passe à celle de « homme de troupe arabe »
et puis de « valet d'armée » ; attestant ainsi la
déchéance progressive de la puissance maure au fur
et à mesure de la reconquête. *Alguazil* — esp.
alguacil — représente l'arabe *al-wazir* ou *vizir*,
c'est-à-dire « conseiller », puis « officier de police »,
subordonné de l'alcade. D'*alguazil* le français a
d'autre part tiré *argousin*, par dissimilation du
premier *l* et substitution de finale ; le mot désigne
à l'origine un officier de la police des galères.

— TERMES MARITIMES : *felouque, safran* (tige du
gouvernail) et *patache* qui, à l'origine, désigne un
bateau de transport.

— OBJETS ET VÊTEMENTS : *guitare, alcôve, nacarat, satin, mohatra* (ou *moire*), *gilet, noria, alcarazas.*
Le *gilet* nous vient d'Espagne au milieu du XVIIIe siècle ; le mot désigne à l'origine la casaque des captifs
chrétiens chez les Maures.

— PLANTES ET MINÉRAUX : *alberge, calebasse,
kermès, élémi, nation, azerole, aubergine.* On voit qu'il
s'agit de produits orientaux ; *alberge* par exemple,
représente *al-persica* (correspondant au provençal
pessègue et au français *pêche.* C'est un fruit de
Perse venu en Espagne par les Arabes.

Parmi ces produits exotiques on relève aussi un

kloriques et fondées sur la corrida et le flamenco
gitan.

Les rares mots que nous avons assimilés ont presque tous une histoire :

Démarcation (1700), par exemple, remonte à la
ligne de « démarcation » que le pape Alexandre VI
fit tracer d'un pôle à l'autre en 1493 pour sé-
parer les Indes Orientales revendiquées par le
Portugal des Indes Occidentales réclamées par
l'Espagne.

Intransigeant (1875) désignait à cette époque les
républicains fédéralistes hostiles à la république
unitaire.

Saynète (1764) a une histoire plus curieuse encore :
l'espagnol *sainete*, dérivé de *sain*, « graisse » (cf. notre
saindoux), désigne à l'origine un petit morceau de
gras donné au faucon lorsqu'il revient ; de là on est
passé au sens de « assaisonnement », puis de « petite
pièce bouffonne et légère » destinée à agrémenter un
spectacle sérieux (cf. le fr. *farce*). Il est clair que
le mot ne doit son passage et sa survie en français
qu'à une fausse étymologie qui en fait un dérivé de
scène.

Dans cet inventaire des mots hispano-romans,
j'ai volontairement omis un certain nombre de
termes qui, bien que d'origine romane, désignent
des objets ou des notions d'origine coloniale et
se rattachent donc aux mots exotiques hispanoaméricains dont nous allons maintenant dire un
mot.

3. L'Espagne et le Nouveau-Monde. — On sait
la place prépondérante prise par l'Espagne par la
découverte et la conquête du Nouveau-Monde, où
elle a — avec le Portugal (Brésil), créé « un empire
latino-américain ».

Un certain nombre de mots espagnols se rattachent à cette tradition :

nègre	jade	pampa
eldorado	pépite	tornade
créole	vanille	placer
pagne	caret	cañon
indigo	moustique	rastaquouère
mulâtre	pacotille	lasso
palabre	quarteron	tango
chinchilla	octavon	rumba

L'eldorado est le pays « de l'or ».

L'indigo < *indicum* est le produit de l'Inde ; il
s'agit de l'Inde occidentale (Caraïbes) d'où il est
ramené.

Les palabres sont en espagnol de simples « paroles ».

La pacotille est un « paquet » et *le pagne* un « pan ».

Le moustique (1654) représente l'espagnol *mosquito*
ou « petite mouche » < *mosca ;* il ne s'est dit longtemps qu'en parlant des moustiques tropicaux ;
l'anglais a conservé la forme originale que nous
connaissons également dès 1611 *(mosquite)* mais qui
a subi une métathèse ou interversion des consonnes :
skt < *stk.*

L'Amérique espagnole moderne nous a en outre
donné un certain nombre de termes : *cañon, lasso,
tango, placer, rumba* et l'amusant *rastaquouère* qui
représente l'hispano-argentin *rastracuero* ou « traîne-
cuir », surnom donné aux gauchos enrichis. L'afflux
des parvenus argentins et brésiliens de la Belle
Epoque a fait la fortune du mot.

Mais si l'Espagne a apporté des mots aux Amé-
riques, elle en a aussi beaucoup trouvé au contact
des langues indigènes : les Caraïbes (Arouak) ;
l'Amérique centrale, Mexique (Aztèque) et Pérou
(Quichua) ; l'Amérique du Sud (Tupi et Guarani).
La presque totalité des mots de cette région nous
est venue par l'Espagne et secondairement par le
Portugal (Tupi et Guarani).

L'Espagne, d'autre part (contrairement au Portugal), n'a eu aucune part aux conquêtes africaines et asiatiques (1).

La datation française de ces mots est nécessairement aléatoire ; si nous avons emprunté *cacahuète* en 1802, cela ne préjuge en rien de la date de l'emprunt espagnol *cacahuate* à l'aztèque *tlacacahuatl*.

Ceci dit, la chronologie de nos emprunts hispanoaméricains reflète assez bien, dans l'ensemble, l'histoire de la conquête espagnole :

— arouak : 25 mots dont 10 dans la première moitié du XVIe siècle ;
— aztèque : 10 mots entre la fin du XVIe et le milieu du XVIIe ;
— quichua : 10 mots (même période) ;
— tupi : 4 mots dont 2 par l'hispano-américain moderne.

Mais nous examinerons ces problèmes dans la perspective générale des emprunts aux dialectes de l'Amérique (cf. *infra*, p. 54 et ss.).

II. — Le Portugal

La liste des mots d'origine portugaise se réduit à une dizaine de termes si on en exclut les mots exotiques.

En voici la liste : *caravelle* (1433) ; *baroque* (1531) ; *marmelade* (1642) ; *vigie* (1691) ; *autodafé* (1748).

En outre quelques mots romans comme *coco, cobra, pintade, véranda, fétiche, caste, albinos, sargasse, zèbre,* qui, tout en étant d'authentiques mots portugais, réfèrent à des choses exotiques.

(1) Un seul mot africain d'origine espagnole : *igname* (1515), et deux mots malais : *mangle* (XVIe) et *carambole* (XVIIIe).

Enfin quelques mots arabes : *anil, mousson*.

Un mot comme *baroque* est trompeur car il s'applique à l'origine aux seules perles irrégulières. Quant au sens moderne de « style architectural » il est italien et nous est venu avec la sculpture de Borromini au XVIIe siècle.

Les *vigies* ne désignent elles aussi, à l'origine, qu'une réalité locale, il s'agit de rochers cachés sous l'eau sur la côte des Açores.

A vrai dire la seule contribution authentiquement portugaise à nos emprunts est le mot *autodafé*, « acte de foi » ; comme l'indique d'ailleurs la forme indigène.

Mais le Portugal, en revanche, a comme l'Espagne joué un rôle important dans la transmission de choses et de mots exotiques, liés à ses conquêtes coloniales.

Il nous a transmis d'une part des mots hindous et malais ; d'autre part des mots brésiliens (tupi et guarani).

Mais voici la liste des emprunts d'origine portugaise :

1433.	caravelle	1602.	mangoustan, malais >
1519.	bétel, hind. >		coprah, hind. >
1521.	arec, hind. >	1604.	bambou, malais >
1529.	coco	1615.	calin, Malaca >
1531.	baroque	1616.	roupie, hind. >
1540.	calambour, malais >	1620.	sagou, malais >
	mangue, hind. >	1642.	marmelade
1553.	pagode, hind. >	1643.	pintade
1558.	pétun, guar. >	1649.	mousson, arabe >
1570.	bonze, jap. >	1651.	marabout, arabe >
1578.	acajou, tupi >	1667.	moscovade, arabe >
	sarigue, tupi >	1669.	fétiche
1581.	mandarin, malais >	1676.	caste
1582.	anil, pers. > ar. >	1680.	cachou, hind. >
1587.	cobra		macaque, Af. bantou >
1588.	alcatraz	1685.	cornac, hind. >
1589.	palanquin, hind. >	1686.	cangue, annamite >
1597.	datura, hind. >	1691.	vigie
XVIe.	carabé, arabe >	1693.	paria, hind. >
1600.	banane, Guinée >	XVIIe.	travade
	zèbre		mulette

1730.	cachalot	XVIIIᵉ.	serval
1748.	autodafé		sargasse
1761.	jaguar, Bres. tupi >	1812.	tapioca, guar. >
1763.	albinos	1820.	cobaye, tupi >
1768.	cipaye, hind. >	1834.	lascar, pers. > hind. >
1782.	bayadère, hind. >	1904.	matchiche, bres. >

Cette liste n'appelle guère de commentaire. D'ailleurs nous allons maintenant retrouver ces mots, ainsi que des mots espagnols et des mots anglais, dans l'inventaire des mots exotiques.

Chapitre IV

LES MOTS EXOTIQUES

A la fin du xve siècle, Espagnols et Portugais se partagent le monde ; les Espagnols prenant les Indes Occidentales et les Portugais les Indes traditionnelles ou Orientales.

Plus tard viendront les Anglais, les Français, les Hollandais.

Ce sont ces mots exotiques et leurs voies de transmission que nous allons maintenant examiner.

I. — L'Amérique

La conquête a commencé par les Caraïbes à la fin du xve siècle ; suivie bientôt par la pénétration espagnole au Mexique, au Pérou, puis dans le sud du continent où ils concéderont le Brésil au Portugal après de brèves incursions hollandaises et anglaises.

1. **Les Caraïbes (Arawak).** — L'archipel des Caraïbes comporte plusieurs dialectes dont le principal est l'arawak (ou arouak).

Les premiers emprunts apparaissent dès 1515 et se poursuivent jusqu'au milieu du xviie siècle. Ils sont presque tous passés par l'Espagne en dehors de quelques mots créoles français.

En voici la liste :

1515. cacique < esp.
1529. savane < esp.
1533. hamac < esp.
        mammée < esp.
1555. yucca < esp.
        ouragan < esp.
        icaque < esp.
        cabouille < esp.
        maïs < esp.
1579. papaye
1599. tabac < esp.
        patate < esp.

1601. goyave < esp.
1614. canot < esp.
        carbet
        tamandra
1640. lamentin < esp.
        pirogue < esp.
1665. paca
1699. pécari
1730. copahu
1758. curare
1763. tamanoir
1771. avocat < esp.

Il s'agit, on le voit, de produits purement tropicaux. Si certains le sont restés comme *la papaye,
la goyave, l'avocat*, l'Europe a adopté *le maïs, le
tabac*, la pomme de terre *(patate)* ; ainsi que des
termes nautiques : *le canot, la pirogue, l'ouragan*
et le *hamac*.

Le *lamentin* vient du galibi *manati* par l'espagnol *manati* mais semble avoir subi, en français, la
contamination du verbe *lamenter* à cause des cris
de l'animal.

2. Mexique et Pérou (Aztèque et Quéchoua). —
Au Mexique et au Pérou l'Europe a pris contact
avec deux grandes civilisations, anciennes et éla-
borées, les Aztèques et les Incas (dialecte quéchua).
Ces pays nous ont transmis de nombreuses produc-
tions originales que nous avons adoptées : *le cacao,
le coca, le chocolat, le quinquina, la cacahuète, le
caoutchouc, la tomate*. Ainsi que des animaux comme :
le caïman, le condor, la vigogne, l'ocelot, le lama et
l'alpaga (variété de *lama*).

Mais voici la liste de ces mots dont la presque
totalité est venue par l'Espagne :

1568. coca, Pérou
        cacao, Mex. < esp.
1587. nopal, Mex. < esp.
        caïman, col.
1591. chocolat, Mex. < esp.
        condor, Pérou < esp.
1598. copal, Mex. < esp.
        guano, Pérou < esp.

sapote, Mex. < esp.
caragne < esp.
lame < esp.
XVIᵉ. margay, Pér.
lama, Pérou < esp.
1611. quinquina, Pérou
1614. coumaron, Guyane
        karata

1633.	maté, Pérou < esp.	1723.	palissandre, Guyane
1643.	caouane < esp.	1736.	caoutchouc, Pérou.
1654.	jalap, Mex. < esp.	1749.	tomate, Mex. < esp.
1672.	vigogne, Pérou < esp.	1751.	hévée, Pérou
	kinkajou, Am. Sud	1772.	chaya, Mex.
XVIIᵉ.	ocelot, Mex. < esp.	1831.	pampa, Pér. < esp.
	cacahuète < esp.	1842.	corozo, Am. C. < esp.
1716.	alpaga, Pérou < esp.	1867.	coyote, Mex. < esp.
1729.	simarouba < esp.		

3. L'Amérique du Sud (Tupi, Guarani). — Les mots sud-américains nous viennent du Brésil par l'intermédiaire du Portugal principalement. Ce sont des mots tupi ou guarani, tribus amazoniennes dont nous n'avons guère amené que des plantes et des animaux purement exotiques.

Un certain nombre de ces mots nous sont venus à l'époque moderne par le sud-américain.

Ainsi *gaucho* (1846), qui représente l'araucan *cachu*, « camarade », et *cobaye* (1810), mot tupi, déjà introduit au XVIIIᵉ siècle par le latin des naturalistes.

Mais voici la liste de ces mots :

XVᵉ.	toucan, tupi < esp.		maringouin, tupi
1558.	margajat	1615.	ajoupa, tupi
	petun, guar. < port.	1643.	palétuvier, tupi
	ara, tupi	1741.	kamichi, Brés.
1578.	manioc, tupi	1761.	couguar, tupi
	ananas, guar. < esp.		jaguar, tupi < port
	topinambour, Brés.	XVIIIᵉ.	cabiai, tupi
	agouti, guar.	1812.	tapioca, guar. < port.
	acajou, tupi < port.	1820.	cobaye, guar. < port.
	sarigue, tupi < port.	1836.	nandou, guar. < esp.
1614.	rocou, tupi	1846.	gaucho, Amér. S. < esp.

4. L'Amérique du Nord. — Il s'agit ici de mots indiens (principalement algonquins) qui nous sont venus par l'anglais. Il est curieux de constater que le Canada français ne semble avoir rien fourni.

Voici la liste, réduite, de ceux qui ont été retenus par les dictionnaires :

XVIIᵉ.	manitou		mocassin < angl.
1607.	caribou	1711.	carcajou
1640.	opposum < angl.	1836.	pemmican < angl.
1707.	tomahawk	1833.	totem < angl.

II. — L'Extrême-Orient

Nos contacts avec l'Asie — en dehors de notre propre commerce, de nos comptoirs indiens et de notre occupation de l'Indochine à l'époque moderne — se sont faits essentiellement par l'intermédiaire des deux grandes puissances coloniales de l'Asie, le Portugal aux XVIᵉ-XVIIᵉ siècles, l'Angleterre aux XVIIIᵉ-XIXᵉ siècles.

L'apport linguistique nous est venu de trois régions : l'Inde, la Malaisie, la Chine.

1. L'Inde. — Voici la liste des mots hindous — certains nous sont venus directement, ou, en tout cas, par des voies non identifiées ; les autres, comme on vient de le dire, par le Portugal ou par l'Angleterre :

1553.	jaque, Malab.
1602.	cari, Malab.
1632.	indienne
1653.	nabab, Hind. < ar.
1666.	nigault, Hind. < pers.
XVIIᵉ.	bégum
1746.	béribéri < lat. méd.
1701.	percale, Tamoul < pers.
1771.	tourmaline, Singal.
	bengali, Hind.
1772.	châle, Hind. < pers.
1795.	corindon, Télengui
1797.	madras
XVIIIᵉ.	gibbon
1803.	cachemire
1812.	kino
1828.	vétiver, Tamoul
1872.	nasouk, Hind.
« 1553 »-XIXᵉ.	yogi, Hind.

Port.-Hindou

1519.	bétel
1521.	arec
1540.	mangue
1553.	pagode
1589.	palanquin

1597.	datura
1602.	coprah
1610.	lascar
1616.	roupie
1680.	cachou
1693.	paria
1768.	cipaye
1782.	bayadère
1772.	teck

Anglo-Hindou

1663.	banian
1683.	tallipot
1758.	véranda
1791.	casimir
1796.	jungle
1826.	patchouli
1837.	pyjama
1849.	jute
1857.	coolie
1877.	tussor
	shampooing
1879.	bungalow
1898.	kaki
XIXᵉ.	curry (cf. cari)
1931.	jamboree

L'Inde nous a de tous temps envoyé des tissus : *indienne, percale, châle, madras, cachemire, madapolam, nansouk, casimir, jute, tussor.*

La plupart de ces termes sont des noms de lieu :
le cachemire est un tissu de laine de la province de
Kashmir au nord-ouest de l'Hindoustan ; le mot
semble nous être venu directement.

C'est par l'intermédiaire des Anglais, en revanche, que nous avons reçu *le casimir*, d'après *Cassi-
mere*, forme anglaise de Kashmir ; il en est de même
de *jute* et de *tussor*.

De l'Inde où ils se sont profondément et dura-
blement implantés, les Anglais nous ont rapporté nombre d'objets aujourd'hui courants : *la véranda* (1856), *le bungalow* (1879), *le patchouli* (1826)
et *le shampooing*, *le pyjama*.

Le bungalow est la forme anglaise de l'hindou
bangla, « bengalien », adjectif que nous possédons
déjà sous la forme *bengali* (1771) pour désigner à la
fois la langue et un oiseau du Bengale.

Le cas de *véranda* est intéressant ; venu des Indes
en 1758, par l'intermédiaire de l'Angleterre, le mot
n'est pas hindou, il a été apporté par les Portugais
pour désigner cette galerie couverte, autour de
l'habitation, formée d'un avant-toit soutenu par
des *perches* et qu'ils nommèrent *varanda*, mot dérivé
du portugais *vara*, « perche ».

Toute l'histoire de la colonisation des Indes est
dans ce mot désignant une chose hindoue, adoptée
et nommée par les premiers colons portugais, reprise
par les Anglais et ramenée par eux en Europe où
nous leur avons empruntée.

Il vaut aussi la peine de relever l'intéressant
glissement de sens du mot français qui désigne surtout aujourd'hui un « balcon couvert et clos par un
vitrage » ; *véranda* est tombé dans l'attraction de
verre.

La comparaison entre les mots indo-portugais et
indo-anglais est particulièrement intéressante. Elle

montre que les Anglais ont ramené de l'Inde de nombreux objets et produits (y compris la portugaise *véranda*).

Les Portugais, en revanche, ne nous ont transmis que des mots, la chose demeurant un produit exotique : *bétel, arec, pagode, palanquin*. Ceci est *a priori* inattendu pour le voyageur qui a pu constater l'extrême facilité d'adaptation des Portugais à la vie coloniale alors que les Anglo-Saxons s'isolent partout dans une hermétique barrière raciale. Or c'est précisément cette insularité des Britanniques qui les pousse à adopter certains objets indigènes (constructions, vêtements, meubles) en les transformant et en les adaptant aux normes de leur confort pour les offrir ainsi à la consommation européenne.

2. **La Malaisie.** — Les Malais ont longtemps occupé en Extrême-Orient une position semblable à celle des Arabes dans la Méditerranée médiévale. Ce sont des commerçants affréteurs et intermédiaires. Ils nous ont transmis un certain nombre de mots dont la plus grande partie par les Portugais des Philippines. Parmi ces mots on trouve des termes nautiques : *jonque, sapan, sampang, prahu* et *pagaie* (1686), mot venu du malais des Moluques *pengajoeh*. Notre familier *en pagaïe* est à l'origine un terme de marins et signifie « de travers », en parlant d'un mouillage ; la pagaie, sans doute, déséquilibre l'embarcation et rend difficile toute manœuvre un peu fine. Les marins ont ensuite appliqué l'expression à des objets jetés sans ordre dans la cale ; c'est de là qu'elle est passée dans le langage populaire.

Le malais nous a donné aussi *le rotin* et *le kapok* ainsi que *le thé* (1664) qui, de même que l'anglais *tea*,

représente le malais *têh* ; alors que les Slaves ont
reçu le mot directement de la Chine sous la forme
tcha.

Une autre production malaise est le *gutta-percha*
qui nous est venu, au milieu du XIXᵉ siècle, par les
Anglais, d'après le malais *gutta* (gomme) du *percha*
(arbre qui produit cette gomme).

Enfin, aux Malais, nous avons emprunté *orang-
outang* (1707) qui, dans leur langue, signifie « homme
des bois » et qui désigne des tribus montagnardes.
Les premiers naturalistes hollandais ont appliqué
ce terme au singe, sans doute par erreur, ou par
plaisanterie.

Mais voici la liste des mots malais :

1529.	criss	1691.	kapok
1540.	calembour (bot.) < port.	1707.	orang-outang
	jonque	1733.	casoar < lat. nat.
1581.	mandarin < port.	1739.	cajeput
1602.	mangoustan < port.	1764.	babirousse (zool.)
	jambos (bot.)	1796.	pangolin (zool.)
1604.	tombac < Siam		dugon (zool.)
1609.	durion (bot.)	1842.	prahu (barque)
1620.	sagou < port.	1845.	gutta-percha < angl.
1628.	ramie (bot.)	1876.	sampang
1663.	sapan	XIXᵉ	gambier (bot.)
1664.	thé		caju (bot.)
1686.	pagaie		batik < javanais
1688.	rotin		

3. **La Chine, le Japon, la Polynésie.** — Voici la
liste des mots asiatiques. Elle est, comme on le voit,
fort réduite :

1570.	bonze, jap. < port.	XIXᵉ	kimono, jap.
XVIᵉ	cannequin (cotonnade),		kakemono, jap.
	chin.		congaï, annamite
1686.	cangue, annamite < port.	1907.	jiu-jitsu, jap.
1698.	moxa, jap.	1936.	judoka, jap.
1712.	kaolin, chin.	1629.	lama, Tibet
1743.	ginseng (bot.), chin.	1774.	kangourou, Austr. < ang.
1759.	nankin (tissu et ville chi-	1836.	boomerang, Austr. < ang.
	choise)	1936.	pareo, Tahiti
1796.	cucuba (bot.), jap.		tabou, Poly. < ang.
1782.	poussa, chin.		tatouer, Poly. < ang.
1842.	soya, jap. malais		yak < Tibet

III. — L'Afrique

L'inventaire des mots africains se réduit à peu de chose. Le voici :

1516. négus, Abyss.
1663. dronte (oiseau), Madag.
1686. kola, Soudan
1694. engui (léopard), Congo
1728. ras, Abyss.
   balafon, Soudan
   bamboula, Bantou
1738. chimpanzé, Af. Occ.

1751. mandrill, Guinée
1760. drongo (oiseau), Madag.
1778. gnou, hottent.
XIXᵉ. jocko (zool.), Congo
   boubou, Sénégal
   vaudou, Soudan
   filanzane, Madag.

IV. — Conclusion

Tout un vocabulaire — moins français qu'européen — est sorti de la découverte du monde, des voyages et de la colonisation.

Il a pénétré en Europe par l'intermédiaire des grandes puissances coloniales : l'Espagne, le Portugal, l'Angleterre.

On est ici frappé de l'extrême pauvreté de l'apport d'une des plus considérables parmi ces grandes puissances coloniales, la France.

Nous n'avons pratiquement rien rapporté de nos colonies, hors l'Afrique du Nord (cf. *supra*, chap. Iᵉʳ, p. 19). Encore s'agit-il dans ce dernier cas d'un argot militaire qui n'a guère dépassé le niveau de la langue populaire et n'a eu aucune expansion hors de France.

Si le lecteur veut bien se reporter à nos inventaires, il verra que des Antilles, du Canada, de l'Inde, de l'Indochine, de l'Afrique noire, nous n'avons pratiquement rien ramené ; et que la plupart des quelques termes qui nous viennent de ces pays nous sont parvenus par l'intermédiaire des Espagnols, des Portugais ou des Anglais.

Cela tient à des raisons historiques. Dans l'ensemble notre colonisation a eu peu de racines en

raison de sa faible densité. Elle a été, d'autre part,
administrative et militaire, sans ces bases commerciales qui sont le véhicule des objets et des mots.

Mais la raison essentielle me paraît être l'attitude
française devant l'exotisme : « le français ne connaît
pas la géographie », il n'émigre pas, ou, forcé de le
faire, il revient toujours vers la mère patrie.

Je comparais il y a un instant l'attitude du Portugais et de l'Anglais ; le premier s'adaptant à la
vie exotique, le second adaptant cette vie à ses
propres habitudes. L'un et l'autre, chacun à leurs
manières — très différentes —, ils s'installent. Le
Français, attendant le retour, est obstinément atta-
ché à son pernod, son camembert et son ragoût de
mouton.

La France, d'autre part, dans son épopée coloniale, a toujours prétendu, non prendre mais appor-
ter, sa langue, ses écoles, son droit, son administration. C'est la raison pour laquelle il n'y a jamais
eu de véritable culture franco-coloniale.

Si cette analyse paraît un peu sommaire à l'histo-
rien et ignorante de tels illustres exemples indivi-
duels, l'analyse du linguiste, dans tous les cas, lui
permet de conclure que parmi les apports lexicaux
des grands empires coloniaux, celui de la France
est le plus réduit.

Ceci apparaît dans l'examen des quelques mots
créoles. En voici la liste. On remarquera que la plupart sont des termes techniques ou dialectaux :

XVI°	corossol	1716.	mondrain
1640.	palmiste	1717.	morne
1645.	colibri	1720.	plaqueminier
1667.	hébichet	1722.	tafia
	cachiman	XVIII°.	canéfice

L'apport de notre implantation ancienne et dura-
ble aux Antilles (et à la Réunion) est singulièrement
pauvre.

La plupart des mots créoles, c'est-à-dire mots européens nés aux colonies, sont espagnols et portugais.

Tel est le cas de *créole*, du portugais *criar*, « élever » et qui désigne le domestique élevé à la maison ; de même *nègre*, *métis*, *octavon*, *mulâtre*, *quarteron*.

Chapitre V

L'ITALIE

Les mots d'origine italienne, au nombre de 850, forment — et de loin — l'apport étranger le plus considérable et le plus riche. D'autant plus que ce millier de mots retenus par les dictionnaires modernes ne tient pas compte d'innombrables italianismes aujourd'hui désuets. C'est ainsi que pour le XVIe siècle (période critique) nous avons retenu 320 mots alors qu'une étude approfondie comme celle de Mlle B. H. Wind dans *Les mots italiens introduits en français au XVIe siècle*, en relève 900.

Voici la distribution chronologique des italianismes :

XIIe	2	XVe	79	XVIIIe	101
XIIIe	7	XVIe	320	XIXe	67
XIVe	50	XVIIe	188	XXe	10

On remarquera que malgré sa fécondité l'apport italien est relativement tardif. Il n'y a pas entre la France et l'Italie du haut Moyen Age cette osmose économique de la France du Nord avec les Pays-Bas.

Durant les XIIe et XIIIe siècles, l'Italie ne nous a guère donné qu'une dizaine de mots. Tous désignent des produits spécifiquement italiens : *le coton* et *le sucre* introduits en Sicile par les Arabes ; *le buffle*, *le riz*, *la citrouille*, *le tournesol* ; ainsi que *le porphyre*, *les perles* et *la porcelaine* (au sens primitif de « coquillage »).

C'est vers le milieu du xvᵉ siècle que commence
à se faire sentir la Renaissance italienne. On voit
alors apparaître des mots qui témoignent de rapports sociaux et culturels : *accort, dispos, preste*, etc. ;
cavalier, courtisan, plastron, esplanade, etc.

Mais bien avant ce déferlement de l'humanisme
transalpin, l'influence de l'Italie se fait sentir à
travers son commerce dès le xivᵉ siècle.

Voici l'inventaire des mots italiens :

XIIᵉ. coton, ar. >
sucre, ar. >
porphyre
1213. buffle
1270. riz
1291. tournesol
1298. porcelaine
XIIIᵉ. citrouille
perle
avarie, ar. >
1300. francolin
1307. florin
1310. canepin
1314. taffetas, perse >
brigue
« 1315 » ? casanier
1316. galerie
1318. tare, ar. >
1330. gabelle, ar. >
1336. pavois
1339. trafic
canon
1349. cavalcade
1350. brigand
salade (casque)
1352. baldaquin (Bagdad)
1366. barrette
1367. capeline
carlin (monnaie)
1544. filoselle (« 1369 »)
1370. lavande
1371. police (certif.)
1372. douane, ar. >
1385. licorne, lat. méd. >
1387. ambassade
1389. nacre, ar. >
1393. ligue
1395. arsenal, ar. >
1396. zibeline, slave >
basin
XIVᵉ. alarme
archipel
banquet
brigade

brigantin
course
dôme
ducat
escarole
estamper
étranguillon
falot, grec >
fuste
malandrin
nacaire, ar. >
organsin
perruque
rufian
sérail, pers. >
1400. sac
guirlande
1409. escrime (fr. ?)
1418. camerlingue
bourgade (prov. ?)
1420. aposter
1427. escalade
1432. bécarre
caviar, turc >
1435. volte
1442. taquin (fr. ?)
1448. caban
1441. sérénissime
1444. accort
1449. massepain, ar. >
1450. ravelin
saccager
1456. plage
1458. banque
1460. preste
1465. solde
dispos
1468. pertuisane
1470. cavalier
canaille
1471. tuf
turquin
1472. courtisan
1475. fracas

mourre (jeu)
1478. calibre, ar. >
1480. massicot, ar. >
poste
1482. estrapade
pilote (« 1369 »), bas
grec >
bastonnade (prov. ?)
1483 ? burin
1483. partisan
1485. zéro, ar. >
1486. émeri, grec >
1488. rotonde
1489. lustre
1492. plastron
1497. esquif
xv°. arborer
banqueroute
baraque (esp. ?)
blanque
boucon
braque (prov. ?)
cadence
caisson
calme, grec >
câpre, grec >
carat (lat. alch. ?), ar. >
caresser
carpion (dial.)
chiourme, grec >
cimeterre, pers. > turc >
citadelle
citadin (« xiii° »)
civette, ar. >
darse, ar. >
embusquer
escadron
estrade
esplanade
estropier
forfante (prov. ?)
frasque
fruste
galeace
gourdin (cordage)
guidon (« xiv° »)
janissaire, turc >
matelas, arabe >
médaille
mortadelle
soubreveste
tribune
1500. tercet
infanterie
escorte
moustache, turc >
révolter
jasmin, pers. > ar. >
race
trinquet

banderole
altesse (esp. ?)
estafier
violon
1506. mosquée, ar. >
1507. antiquaille
escale (« xiii° »)
radis
1509. poltron
1511. bronze
masque
1512. pécore
cantilène
belvédère
1517. escopette
1519. brocatelle
1518. nocher (« 1246 »), grec >
brocart
1520. bulletin
noliser
1521. nonce
1522. mousse
panache
1522 ? bicoque
1522. macaronique
1525. gabion
1526. bémol
mosaïque
festin (« 1382 »)
1527. boussole
cartel
riposte
1528. architrave
chérif, ar. >
à l'improviste
1529. balustre
antichambre
vallon
1530. pavane
remorquer
artichaut > ar.
1531. forçat
1532. soldat
parfumer (esp. ?)
incarnat
grotesque
taillade
1578. manganèse
leste
mousquet
politesse
signaler
portulan (pilote)
ballet
1579. lagune
caïque, turc >
1580. travestir
fougue
contraste
soldatesque

caveçon
fleuret
1581. incognito
cartouche
1583. prestance
1584. mont-de-piété
balzan
bilan
discourtois
gamelle
1585. ingambe
1586. vedette
vilanelle
stylet
campanile
1587. liste
1588. ombrelle
posture
1589. numéro
figurine
1595. piastre
1596. sourdine
estafette
1597. balourd
intermède
escroquer
escompter
1598. sequin (« 1400 »)
gigantesque
volcan
fugue
pommade
1599. paravent
sirocco, ar. >
XVIᵉ. alerte
alpestre
altier
anspessade
arcade
armoisin
babiole
baguette (mil.)
balcon
bosel
botte (escrime)
bouffon
bourle
bravache
brave (esp. ?)
briller
1532. voltiger
spadassin
feston
1533. espalier
stuc
1533. grotte
1534. balle (à jouer)
tarot
escarpin
canentille (esp. ?)

1534. foucade
colonel
barbe (cheval)
piston
1535. flasque (bouteille)
1536. crédence (« 1400 »)
bergamote, turc >
frégate, grec >
1538. roquette (plante)
1539. bec figue
casemate, grec >
carbonnade
disgrâce
1540. postillon
1542. madrigal
bataillon
piédestal
1543. sonnet
charlatan
1545. volute
pilastre
imposte
modillon
1546. espadon
sentinelle
baste
escamper
sbire, grec >
rambarde
manquer
estocade
parapet
parapet
désastre
brusque (« 1313 »)
artisan
arabesque
capucin
1547. camisole
bravade
1548. duo
parasol
estramaçon
bagatelle
1549. bosquet
modèle
ballon
buste
cadre
compartiment
gondole (« 1549 ») grec >
1550. zani
stance
soutane
lampion
1550. galbe
escarpe
1552. cavale
macaron
cervelas

caporal
carène (« 1246 »)
fanal, grec > ar. >
1553. sorgho
drogman, ar. > turc >
sorbet, ar. > turc >
palan
vermicelle
1554. mascarade
1555. populace
bourrasque
1556. majolique
sénérade
1557. risque
récolte
1558. carafe
1538. pédantesque
1559. spinelle
s'amouracher
1559. appartement
parer (escrime)
1560. brocoli
assassin, ar. >
concert
cesser
médicastre
pédale
1561. terre-plein
corniche
1562. cabriole
accaparer
1563. caleçon
1564. capiton
1565. caprice
1566. contrebande (« 1512 »)
pédant, grec >
pasquinade
estacade
filon
1567. esquisse
lazaret
1568. stalle
1570. escapade (esp. ?)
1571. podestat
piste (équit.)
relief (sculpt.)
1572. tarif, arabe >
1574. carrosse
1575. casse
isolé (archit.)
bambin
1576. site
1578. veste
carton
fantassin
attaquer
intrigue
paladin
réussir
burle

buffe (arm.)
burat
busc
calade
calamite (marin)
carnaval (« 1268 »)
carrousel, ar. >
cartelle
cassade
cassin
cavalcadour
cavet
cavalet
cistre
conche
dessin
douche
elme
escarcelle (« XIIIe »)
espalmer
esponton
estafilade
everdumer
façade
faciende
falquet (faucon)
fraticelles
généralissime
girafe (« 1298 »), ar. >
girasol
gobin
golfe (« XIIIe »)
grabeler
grandissime (« 1300 »)
gumène (marit.), arabe
hippogriffe
lance (argot)
languerie
maceron
majordome (esp. ?)
menestre
messer
mestre (mil.)
muscadin (pastille)
muserole
papable
passade (escrime)
pavesade
porque
pulverin
quaterne
remoulin (équit.)
renégat
repolon (esp. ?)
retirade (milit.)
rondache
saltimbanque
semoule
sériosité
smalt

soldanelle
strapontin
strette
tarentule
se targuer
travaïolle
téorbe
tirade
teston
trombone
vade
veillaque
1600. gazette
salsifis
1605. bergamasque
esquiver (fr.)
idylle, latin >
avanie, ar. > turc >
1606. failli
1611. burlesque
reversi
sacoche (« 1606 »)
travertin
mercantile
manège (équit.)
mesquin, ar. >
corridor (mil.)
bisse (blason) (fr. ?)
café, ar. >
1612. incartade (escr.)
1613. basson
basse (mus.)
1615. coloris
1616. redoute
1618. berlingot
1620. nouvelliste
1621. profil (fr. porfil)
1622. cortège
tartane (prov. ?)
1625. lettrine
1628. simarre (esp. ?), ar. >
1633. mascaron
1634. drosse
1636. poste (masc.)
1637. attitude (b.-arts)
capitan
1639. drisse
1640. virtuose
soucoupe
paroli
cascade
bombe
1642. svelte (b.-arts)
calquer
caver (jeu)
cunette (mil.)
ganache
fortin
orviétan
chevaleresque (« xv⁰ »)

trombe
doge
1643. madone
1645. rossolis
1646. opéra
1648. couçi-couça
1648. gradin
1649. polichinelle
1651. lave
dégrader (b.-arts)
1653. fronton
miniature
1654. volte-face
1656. mousseline, ar. >
1657. cariatide (« 1547 »)
listel
1660. improviser
fresque
1663. transit
1664. salon
1665. store
granit
1666. coupole
prosateur
1667. dessiner
bague
scorsonère
1669. comparse
1670. ritournelle
pouzzolane
1671. pointillé
capitane (prov. ?)
madrepore
1671. camérier (« 1350 »)
caponnière
1673. filigrane
commandite
1674. bassette
socle
1675. composteur
cambiste
solder
escompter
aval
1676. costume
torse
soffite (archit.)
piédouche
mazzanine
1677. bisbille
capon (palan)
carafon
reflet (b.-arts)
postiche
pastiche
1678. jarde (équit.), **arabe**
1679. agio
grège
régate
1680. cédrat (« 1600 »)

entrechat
armeline
bamboche (b.-arts)
cantine
tremplin
1684. strapasser (peinture)
1687. coursive
péotte
1842. ghetto (« 1690 »)
1690. fougasse
catafalque
bandit
récitatif (« 1575 »)
1693. rémoulade
1694. encastrer (« 1464 »)
archivolte
girande (feux d'art.)
péperin (géol.)
XVIIᵉ. alpion (jeu)
argue
atlante
bandins
bochetti
calcet
caliorne
cardasse
cartisane
désinvolte (esp. ?)
discompte
écavenade
embarrer
encasteler
éparer (s')
épontille
espale
estive
estrapasser
étudiole
falquer
ferse
flammette
fusarole
galéga
hoca
imbroglio
incamerer
lazzi
matasse
meniane
mensole
merlan (archit.)
mézair
morette
ognette
ourlet (archit.)
palanque
papalin
parère
parmesan
passège

pesade
polacre
portor
ramasse
ramingue
rassade
roson
scabellon
sgraffite
sillet
sourdeline
spalmer
stangue
stenté
strasse
trirègue
trivelin
vessigon
voiturin
1700. sacripant
1703. solo
1704. luciole
1706. guépard
1708. pittoresque
1709. cantate
1710. ariette
dacapo
1718. sonate
1719. discrédit
1723. format
ditto
colis
calmande
banco
1726. adagio
allegro
1730. lustrine
1732. loto
1733. belladone
1739. oratorio
philharmonique
marasquin
1740. caricature
dilletante
casino
1743. villa
violoncelle
1751. andante
arpège
1752. gouache
maquette
fonte (de selle)
piano (doucement)
1753. concetti
cicérone
trille
1754. franco
1755. villégiature
1757 ? gonse (argot)
1759. mandoline

1762. cantatrice
      ténor (« 1444 »)
1764. sigisbée
1767. do
1768. barcarole
      soprano
      cavatine
1771. alto
      chebec, ar. > esp. >
1774. chipolata
1775. crescendo
1776. condottiere
1782. baderne (esp. ?)
      influenza < angl.
      presto
XVIIIᵉ prestissimo
1783. ristourne
1786. lazarone
1790. solfège
1791. aquarelle
      bouffe
      contralto
1792. longrine (charpente)
1798. piano (forte)
      grandiose
1799. finale
XVIIIᵉ ambe
      asple
      avocette
      babilan
      biribi (jeu)
      bisaïque
      brasque
      cadène
      camera
      camoiard
      caristade
      cartabelle
      cavagnole
      cavalol
      cipolin
      contorniate
      corso
      curle
      dispache
      dolce
      espolette
      estouffade
      estraper
      filaret
      forlane
      forte (piano)
      gambe
      graticule
      group
      lumachelle
      modenature
      mouflon, mufle (« 1556 »)
      naville
      patine

      palifier
      pédon
      pétéchie
      trélingage
      tre-sept
1803. vendetta
1807. aria
1808. intaille
1818. fumerolle
1820. aqua-tinta
      fiasco
      carbonero
1821. flemme
1823. libretto
1825. crispin
1826. vasque
1829. appoggiature
1856. crinoline (« 1829 »)
1829. brio
1830. baroufe
      trémolo
      floriture
      biscotte
1831. contrapuntiste
1833. impresario
      diva
1835. tombola
      dogaresse
1836. casquer (argot)
1838. saltarelle (danse)
      quintette (« 1878 »)
      maestro
      coda
      decrescendo
1842. garcette
      tempo
1845. colmater
1852. confetti
1853. aquafortiste
1855. maestria
      malaria
1859. ballerine
1864. trombine (prov. ?)
1865. palafitte
      fantoche
1873. predelle
1875. maffia
1876. piccolo
1878. graffite
XIXᵉ. amoroso
      balancelle
      batoude
      fortissimo
      gambier
      incamérer
      irrédentisme
      libeccio
      lire
      loggia
      mosso

nase	tracaner
ocarina	1922. agrume
pipistrelle	xxᵉ. analphabétisme
ptomaïne	autostrade
putto (frise)	1900. ferroviaire
sabayon	1924. fasciste
stropiat	fascisme
tessiture (musique)	mattoïde
tarentelle	mèche (argot)
tondin	paranzella
trabac	pergola

I. — Les marchands lombards (1300-1450)

L'Italie médiévale a été le grand intermédiaire commercial entre l'Orient et l'Occident ; les marchands de Venise ou de Gênes sont en outre des armateurs et des banquiers.

L'examen des emprunts durant toute cette période fait apparaître ce rôle des Lombards qui ont leur rue à Paris et dont le nom est durant tout le Moyen Age synonyme d'usure et de haute finance, qui comptent en *florins* (1307), en *carlins* (1367), en *ducats* (xivᵉ), qui ont introduit en France la *banque* (1458) ; c'est-à-dire le banc des changeurs, banc qui est « rompu » en cas de faillite ou *banqueroute* (xvᵉ).

A eux aussi que dès le xivᵉ siècle (1371) nous devons *la police* ou « reçu » (< grec-byzantin *apodeixis*) constituant un « certificat » de chargement, de paiement. Certainement la création la plus originale et la plus féconde du commerce occidental.

Ce commerce, d'autre part, est étroitement lié aux Arabes. La route des épices, avant d'aboutir aux foires de Champagne, passe par la Perse, la Syrie et la Lombardie.

Venise, Gênes, Pise ont pris une part active aux Croisades ; ils ont fourni les flottes de transports et leurs armées sont à la prise d'Acre, à celle de Tripoli, de Beyrouth. C'est grâce à elles que l'Empire franc a

ESCRIME. — XVᵉ *escrime* ; XVIᵉ : *riposte, esto...*
fleuret, botte, passade, estafilade, parer.

ÉQUITATION. — XVᵉ : *cavalcade, cavalier* ; XVI...
barbe, caveçon, balzan, carrousel, cavalcadour, ...
moulin.

NAVIGATION. — XIVᵉ : *brigantin, course, fuste...*
XVᵉ : *pilote, esquif, chiourme, galéace, gourdin (câble),*
escale ; XVIᵉ : *trinquet, noliser, mousse, gabion, bous-*
sole, remorquer, frégate, rambarde, portulan, caïque,
golfe, gumène.

INFANTERIE, ARMEMENT, TACTIQUE. — XIVᵉ :
salade (casque), *alarme, brigade* ; XVᵉ : *sac, saccager,*
aposter, escalade, solde, pertuisane, poste, cimeterre,
embusquer, escadron, janissaire ; XVIᵉ : *infanterie,*
escorte, estafier, poltron, à l'improviste, soldat, spadas-
sin, colonel, bataillon, sentinelle, soldatesque, vedette,
estafette, anspessade, buffe, généralissime, mestre,
rondache, retirade, attaquer, caporal, etc.

Non seulement on emprunte de nouvelles notions
avec de nouveaux mots ; mais on refait de vieux
mots français sur le modèle italien : *attacher* devient
attaquer, e(s)cremir reprend l's de l'italien *escrime*.
En outre — et ceci est très caractéristique de l'italia-
nisation de tout ce domaine — on emprunte des
adjectifs comme *poltron, brave, preste, ingambe,*
leste, dispos (qualités de l'escrimeur et du cavalier) ;
des adverbes comme *alarme, à l'improviste.*

L'escrime, l'équitation, la tactique militaire à
l'italienne, d'une nouvelle technique deviennent au
XVIᵉ siècle une mode.

Cette mode va s'étendre à l'architecture, aux
beaux-arts, aux vêtements, à la cuisine, aux mœurs.
Influence plus tardive car on ne dénombre pas plus
d'une vingtaine de mots avant le XVIᵉ siècle dans
ces différents domaines. Ils prolifèrent en revanche
à partir de 1530.

pu s'implanter en Syrie. Mais Gênes et ...
chent moins la gloire des croisés qu'à n...
interventions en solides avantages c...
Elles obtiennent dans tous les ports ...
— ces ports où on fait *escale* (XIIIᵉ siè...
tier autonome soumis à leur propre ...
administration ; c'est là qu'elles on...
leur *darse*, leur *douane*, leur *gabelle*, t...
gine arabe comme on l'a dit plus h...
p. 17).

On ne reviendra pas non plus sur ...
propos des termes commerciaux ...
que *avarie, tare, tarif* ; de même ...
l'origine est obscure, mais qui ...
d'Italie en 1399.

Très caractéristique à cet égard ... en 1449 *marza-*
de *massepain* qui nous vient d'Italie < italien *marza-*
lèlement à des formes *marcepain* avec le sens de « boîte
pane. Le mot nous parvient et en particulier des
contenant des confiseries qu'ultérieurement que le
pâtes de fruit » ; ce n'est qu'ultérieurement que *massepain*
contenant désignera le contenu et que *massepain*
désignera une pâte d'amande.

L'histoire des rapports italo-arabes est inscrite
dans le mot : l'arabe *martabān*, « roi assis », désigne
une monnaie d'or en circulation au moment des
Croisades ; monnaie adoptée par Venise. Les Véni-
tiens, par la suite, désignent sous ce nom une rede-
vance douanière de 10 % qu'ils lèvent à Chypre.
Puis, à partir de l'idée de 10 %, le mot désigne une
boîte de la contenance d'un dixième de muid. Enfin
cet emballage a été réservé à des épices et à des
confiseries orientales, nom sous lequel il est entré
en France.

... les traditionnelles épices, ce commerce
... urtout des tissus orientaux de soie : *le*

Venise cher-
égocier leurs
ommerciaux.
des *Echelles*
cle), un quar-
juridiction et
t leur *arsenal*,
us mots d'ori-
aut (cf. *supra*,

e qui a été dit à
talo-arabes tels
que *trafic* dont
nous vient bien

est l'étymologie
1449 paral-

II. — La Renaissance italienne

1. L'art militaire.

— C'est *le canon* qui sonne le glas du Moyen Age et ouvre l'ère moderne. Le mot nous vient d'Italie en 1339. Et c'est une conception nouvelle de l'art militaire que la péninsule va imposer à l'Europe, bien avant son architecture, ses arts, ses modes, ses mœurs.

Jusqu'aux abords du XVIe siècle, l'apport italien — en dehors du commerce (cf. *supra*), sera essentiellement militaire : artillerie, infanterie, escrime, équitation, navigation.

Voici la liste des mots empruntés durant cette période dans ces différents domaines :

ARTILLERIE ET FORTIFICATION. — XIVe : *canon* ; XVe : *ravelin, calibre* ; XVIe : *escopette, casemate, mousquet, cartouche, parapet.*

(1) Le mot est curieux, il représente un ancien bom... lien *bambagina*, qui semble avoir été conçu comm...

En voici un inventaire sinon complet, en tout cas caractéristique :

2. L'architecture. — *XVe siècle : rotonde, esplanade, estrade, tribune.*

XVIe siècle : belvédère, bicoque, architrave, balustre, antichambre, espalier, stuc, grotte, piédestal, volute, pilastre, imposte, arabesque, bosquet, compartiment, macaron, appartement, terre-plein, corniche, isolé (à l'origine terme d'architecture), *campanile, balcon, façade.*

Il n'est pas toujours facile de déceler dans la forme l'origine de ces mots ; je me suis basé sur Bloch et Wartburg qui nous donnent *chapiteau, frise, colonne*, etc., comme indigènes. Mais il n'est pas douteux qu'ils étaient sentis comme étrangers. Noël du Fail, conteur du XVIe siècle, nous dépeint la stupéfaction d'un maître maçon de province lorsqu'il « ouyt les grands ouvriers de toute la France illec montez et assemblez qui n'avoient autres mots en bouche que *frontispices, piédestals, obélisques, coulonnes, chapiteaux, frizes, cornices, soubassemens*, et desquels il n'avoit onc ouy parler ».

3. Les beaux-arts. — Le seul terme relatif aux beaux-arts et antérieur au XVIe siècle est *bécarre*, adaptation de l'italien *be quadro* et qui date de 1432. *Bémol* est de 1526.

Au cours du XVIe nous empruntons cependant un certain nombre de termes musicaux, ainsi que des termes relatifs à la sculpture et à la peinture.

Voici la liste chronologique des principaux : *cadence, tercet, violon, antiquaille, fruste, médaille, bronze, cantilène, bémol, macaronique, mosaïque, grotesque, madrigal, sonnet, buste, cadre, stance, galbe, sérénade, concert, pédale, relief, ballet, contraste, pa-*

Comedia dell'Arte introduite en France au début du siècle. Nous lui devons : *bergamasque, burlesque, polichinelle, pantalon, comparse, postiche, entrechat, imbroglio.*

Les Italiens semblent être aussi à l'origine de *la loterie* (1538), *numéro* (1589), *blanque* (XVIᵉ), et *le loto* (XVIIᵉ). Au XVIIᵉ nous leur devons *le reversi* et des termes tels que *paroli, se caver* et faire *banco.*

IV. — L'Italie moderne

A partir du XVIIIᵉ siècle, le dynamisme de la culture italienne s'épuise. L'Italie devient la terre du tourisme britannique et du pèlerinage stendhalien.

Ce mouvement apparaît dès le milieu du XVIIIᵉ avec des mots comme : *cicérone, villégiature, villa, casino* et des termes spécifiques tels que *voiturin, lazzarone*, etc.

Au cours du XIXᵉ siècle on continuera à en rapporter des termes de musique : *aria, contrapuntiste, impresario, diva, libretto, appoggiature, brio, tremolo, fioriture, maestro, coda, decrescendo, tempo, maestra, amoroso, fortissimo, tessiture, quintette.*

L'Italie reste bien la terre classique de la musique. En revanche, les arts plastiques ne nous livrent plus que des termes anciens, recueillis parmi les vestiges du passé : *intaille, aqua-tinta, aquafortiste, vasque.*

Quelques termes, aussi, liés à un folklore anecdotique : *l'influenza*, « écoulement », semble avoir été ramené d'Italie par le tourisme anglo-saxon.

On a de même *fumerolle, saltarelle, malaria, maffia, balancelle, libeccio, ocarina, tarentelle, pergola*, etc.

Au mouvement de libération romantique nous devons *carbonaro* (1820) et *irrédentisme.*

L'Italie actuelle, en revanche, prend part à la

transformation politique et technologique du monde moderne. Sans parler de mots comme *fasciste*, *fascisme*, nous lui devons *analphabétisme*, *autostrade*, *ferroviaire*, *agrume*.

L'importance, la profondeur, l'étendue de l'influence italienne posent le problème de l'assimilation de cette masse de mots étrangers.

Cette étude sera l'objet de notre dernier chapitre. Mais il nous faut auparavant faire l'inventaire des anglicismes.

CHAPITRE VI

L'ANGLETERRE

Les mots d'origine anglaise — au nombre de 700 — sont après les mots italiens le grand apport étranger de notre vocabulaire. Cet apport est tardif. De même que l'influence italienne culmine au XVIe siècle avec la renaissance humaniste, c'est au XIXe que la révolution industrielle et technologique anglo-saxonne s'est répandue sur l'Europe et en particulier sur la France.

Voici la chronologie de nos emprunts à l'Angleterre :

XIIe	8	XVe	6	XVIIIe	134
XIIIe	2	XVIe	14	XIXe	377
XIVe	11	XVIIe	67	XXe	75

Pour le XXe siècle nous n'avons dénombré que les mots enregistrés par les dictionnaires d'usage et nos statistiques ne reflètent pas à cet égard le déferlement actuel d'anglicismes et d'anglo-américanismes. C'est là un problème particulier qui sera évoqué dans notre conclusion (cf. *infra*, chap. VII).

On est encore une fois frappé du faible apport britannique au cours du Moyen Age — en fait jusqu'au seuil du XVIIe siècle.

On trouve dès le XIIe une dizaine de mots qui appartiennent tous à la terminologie maritime : *bateau, est, ouest, nord, sud, varech* (au sens d'épave), et si ces termes dérivent bien effectivement de l'ancien anglais, la tradition n'en est pas établie avec précision. Ils ont pu venir par l'intermédiaire du néerlandais ou du normand et appartiennent sans doute à un fonds archaïque.

En fait il est remarquable que jusqu'au XVIIe siècle l'anglais n'a fourni qu'un nombre infime de termes maritimes — si on ignore les termes archaïques dont on vient de parler.

Ceci mérite d'être relevé, car l'idée — universellement répandue — que nous nous faisons d'une Angleterre maritime a souvent dans le passé incité les lexicologues à voir une origine anglaise dans de nombreux termes nautiques.

Mais ceci n'est vrai qu'à l'époque moderne ; durant tout le Moyen Age, c'est la Hollande (et la Normandie scandinave) qui est la grande source de notre terminologie maritime.

Le mot *yacht*, par exemple, nous vient de Hollande dès 1572, avec son sens original de « navire de chasse » et une prononciation *yak* ; ce même mot prend en Angleterre le sens de « navire de plaisance » d'où il nous revient au XIXe siècle avec cette nouvelle acception et sous une prononciation britannique *yot*.

Mais jusque vers la fin du XVIIe siècle l'influence anglaise est insignifiante ; Henri Estienne, champion de la pureté linguistique, ne prend même pas la peine de la dénoncer.

1125.	acre	1367.	haquenée
	varech (épave)	1370.	paletot
1138.	bateau		lollards
	est		bagues
	nord		hanebane
	ouest		milord
	sud		lingue
	estaie	1382.	étambrai
1282.	lest		étrope
	haddock	1406.	dogue
1311.	flette	1466.	falot (fellow)
1322.	élingue	1474.	rade

aubin
cariset
bigot
1504. typhon ar. >
1527. héler
1532. utopie
1554. anglican
1556. drague
1558. shilling
1562. puritain
1572. yacht néerl. >
1582. carpette fr. >
« 1586 ». elfe
guilledin
bernache
orphie
ramberge
1600. pingouin
« 1611 »-1835. mastiff
1613. calicot hind. >
1620. prime
1626. contredanse
1628. flibot
1634. paquebot
1640. opossum alg. >
1650. moire ar. >
« 1649 »-xixᵉ. speaker
albatros port. >
1650. flanelle gal. >
excise
comité
1651. suprématie
1653. bouleponche
1656-xixᵉ. stock
1656. tonnage fr. >
1657. quaker
1658. gigue anc. fr. >
1659. libre-penseur
1663. bannian hind. >
alligator esp. >
1664. boulingrin
1666. conformiste
ketch
1667. planteur
flibustier néerl. >
« 1669 »-xixᵉ. verdict
groom
1669. guinée
consort
lady
importer
« 1669 ». bill
« 1671 »-xixᵉ. warrant
1672. corporation
boy
« 1672 »-xixᵉ. quorum
« 1672 »-xxᵉ. hall
1678. ouaiche
boukinkan
« 1678 »-xixᵉ. pudding

1683. tollipôt hind. >
1684. presbytérien
1687. interlope
étain
whist
1688. allégeance
« 1688 »-xixᵉ. jury
gallon
1688. shérif
rhum
punch
coroner
wigwam
1690. sterling
1691. londrin
gong mal. >
1694. dranet
« 1698 »-xixᵉ. fashion
« 1698 »-xviiiᵉ. pamphlet
1698. rosbif
boxe
« 1698 »-xixᵉ. wagon
football
1702. tille
1702-f. xviiiᵉ. vote
« 1702 »-xixᵉ. standard
« 1702 »-1780. club
1702. malt
1705. tabou polyn. >
1704. whig
1707. mocassin alg. >
1708. plaid
« 1708 ». highlander
1712. panthéisme
tory
« 1713 ». miss
1714. pandémonium
1715. sinécure
« 1717 ». loyaliste
1718. coalition
1720. ₁éfrangible
spectre (Newton)
1722. hourra
inoculer
1723. frequin néerl. >
gourgouran an. fr. >
« 1725 »-xixᵉ. square
1725. redingote
humour
popularité
1726. pickpocket
égotisme
« 1726 ». cricket
1727. minorité
ticket a. fr. >
« 1727 »-1801. lilliputien
1733. meeting
aberration
1735. franc-maçon
popeline

1741. bouledogue
« 1742 ». bébé
1744. ventilateur
1745. romantique
        spleen
1747. accise
1750. exporter
        patriote
        population
1752. sloop néerl. >
1753. poudingue
1754. cottage
        antilope
« 1755 ». drawback
1756. théisme
1758. véranda port. >
        ray-grass
1759. clan
        compétition
1760. commodore
        majorité
        méthodiste
1762. gale
        maryland
        toast anc. fr. >
1764. turnep
1767. singleton
        partenaire anc. fr. >
        frac
« 1768 »-1806.
        budget anc. fr. >
1768. dyke
1769. sentimental
        gentleman
        tatouer polyn. >
1770. balbuzard
        humoriste
1771. adepte
        grouse
        compost
1773. affidavit
        trick
        chelem
        coke
1774. kangourou
        flint-glass
        bloom
« 1775 »-1885.
        dispensaire
1775. chien-loup
        motion
        waterproof
1776. magazine
        congrès
        dollar
        constitutionnel
        omnium
        yankee
        jockey
        grog

splénétique
constable
1777. croup
        box
        whisky
1778. officiel
        politicien
1779. sprat
1780. cadogan
1781. lougre
        lovelace
1782. brick
1783. outlaw
        catalpa am. >
        geyser scand. >
        caronade
1786. bifteck
        casuarine
        confortable
        désappointé
        attorney
1787. patente
        pétition
1788. chèque
1789. pugiliste
        cromlech
1791. casimir hind. >
        yak tibét. >
« 1792 »-XIXᵉ. golf
« 1792 ». curling
1794. cotre
« 1795 ». stick
1796. convict
        jungle hind. >
1797. spencer
1799. panorama
XVIIIᵉ yacht
1801. bas-bleu
        schooner
        sélection
1802. sandwich
        batten
        mail-coach
1803. hallope
        vapeur
        palladium
1804. enclosure
        osmium
        phormium
1805. carrick
1806. rhodium
        iridium
1807. sodium
        bridge
1808. arrow root
        pannequet
        potassium
        bousin
1809. boghei
1811. émission

1812. reps
    aluminium
1813. spardeck
1815. acné
1816. tandem
    touriste
    gipsy
    confort
    water-closet
1817. dandy
    rail
1818. tramway
    péniche
    lias
1819. delirium tremens
1820. euphuisme
    radicalisme
    lunch
    soda (water)
    tibury
1821-« 1786 ». bol
1821. cake
1822. cant
1823. chemin de **fer**
    paupérisme
    transept
    clown
1824. raout
1825. parlement, -aire
    poney
1826. patchouli hind. >
1827. scalper
    shrapnell
    sportsman
    handicap
    cold-cream
1828. truisme
    match
    pedigree
    sport
    steeple-chase
    banknote
    turf
    paddock
    sweepstake
    fox (hound)
1829. chairman
    crag gal. >
    baryum
    tunnel anc. fr. >
    phrénologie
    steamer
    bungalow hind. >
    studio ital. >
    ring
    derby
    reporter
    keepsake
1830. lasting
    lion, -ne (dandy)

    macadam
    humburg
    train
1831. torpedo
1833. trappeur am. >
    interférer, -ence
    patronnesse
    wharf
    totem am. >
    rifle
1834. absentéisme
    condenseur
    puddler
1835. abolitionniste
    attraction (spectacle)
    robre
    self-government
1836. tennis
    bugle
    impérialisme
    pemmican am. >
1837. tender
    pyjama hind. >
1838. introspection
    pédestrian
    viaduc
    catalyse
    mess
    festival
    électrode
1839. speech
    silurien
    performance
    photographie
1840. gault
1841. ski norv. >
1842. darling
    stoff
    électrolyte
    tract
    exhaustif
    mackintosh
    shoking
    usquebac
    terminus
    scribler
    station
    blackbouler
    shake-hand
1843. bogie
    éocène
    excavateur
    truck
    hypnotisme
    rumsteak
1844. daltonisme
1845. essayiste
    gutta-percha
    tweed
    colloïde

1846. clearing-house
1847. stopper
    vulcaniser, -seur
1849. jute hind. >
    express
    drain
1850. cab
    coaltar
    scottish
    staff
    stéréoscope
1851. skiff
1852. pointer
1853. libre-échange
    clipper
    malthusien, -anisme
1853. médium
    revolver
1854. dead-heat
    plum-cake
    crack
    lad
    racer
1855. barnum
    plate-forme (politique)
    shirting
    raglan
1856. slang
    guide-rope
    leader
    cheviotte
    pale ale
1857. coolie hind. >
    suggestif
    moleskine
    pickles
    snob
    snobisme
    iceberg norv. >
1858. spirite
    poker
    dog-cart
1859. rugby
    drag
1859-« 1786 ».
    sherry esp. >
1859. outsider
    break
    banjo esp. >
    mackfarlane
1860. cocktail
    leggins
    sulky
    claim
    rowing
1861. bar
    sudiste (am.)
    farad, -isation
    brook
1862. starter

    canter
    music-hall
1862-« 1784 ».
    respectabilité
1863. boomerang austr. >
    cyclone
    velvet
    cocker
    spiritisme
1864. prospecter
1865. lock-out
1866. prospecteur
    hummock
    event
    grizzly am. > am.
    pack
1867. victoria
    lynch
    boghead
1868. yearling
    résorcine
    mohair ar. >
    ébonite
1869. condominium
    select
1871. catgut
    détective
    sélectif
    bow-window
1872. actuaire
    ulster
    morse
    torpille
    nurse
    sleeping-car
1873. stepper
    élévateur (am.)
    ion
    car
    télescoper (am.)
1874. disqualifier
    doris
    block-system
    linoléum
    mildew
1875. végétarien, -anisme
    pitchpin
    stand
1876. skating
    rink
1877. convent
    tussor hind. >
    croquet
    câbler (am.)
    firme
    rallie-papier
    dandy
    vaseline (am.)
    shampooing hind. >
1878. black-rot

rush
celluloïd
copyright
1879. cruiser
flirt
1880. boycotter
folklore
1881. jersey
watt
1882. polo
boston
télépathie
interview
midship
cantilever (am.)
record
raid
selfcontrol
1884. manager (am.)
trance
récital
interview
1885. five o'clock
1885-1914. slip
boom (am.)
challenge
garden-party
maid
1886. ground
agnosticisme
1887. téléphérage, -ique
jigger
canoe am. >
pipe-line
1888. trust (am.)
blizzard (am.)
1889. dash-pot
linotype (am.)
hockey
base-ball (am.)
film
kodak (am.)
self-defense
tub
sprinter
1890. atoll port. >
électrocuter (am.)
junior
senior
toboggan
1891. carter
out
1892. snow-boot
pullman
agnostique
business
électron
1893. bridge
destroyer
1895. éditorial

building (am.)
boss (am.)
réaliser
cake-walk (am.)
shaker
swing
magnat (am.)
dribbler
bluff (am.)
footing
test
stayer
sprint
1896. câblogramme (am.)
trolley
1897. links
wattman
1898. pragmatisme
smart
kaki hind. >
basket-ball (am.)
1899. skeleton
bobsleigh
docker
tea-room
tea-gown
1900. court
XIXᵉ. gin néerl. >
bat
blue
caern gal. >
chip
coquerie
coq-souris
dash wheel
eugénique
label
pénaliser
rot
périscope
trenail
pneumatique
stylographe
nordiste
pongée
skunks
forfait
drop
ballast néerl. >
1900. consortium
fair-play
funding
1901. exerciseur
1903. doper
sketch
1904. knock-out
dumping
lift, -ier
cellular
van

	shoot		shimmy
	finish		black-bottom
1905.	palace		charleston (am.)
	camping	1925.	gangster
	indésirable	1930.	ketchup
1906.	week-end		sunlight (am.)
	dreadnought		slogan
1907.	cargo		vamp (am.)
1908.	uppercut		offset
	bowling		socquette
1909.	puzzle	1931.	jamboree hind. ∧
1910.	autocar	1932.	pick-up
	one-step (am.)		roadster
	boy-scout		sex-appeal
	sweater	1933.	short
	browning	XXᵉ.	bacon
	surprise-party		pianolo (am.)
1911.	cheftaine		beverage
	looping		standing
1912.	fox-trot		buzzer
	side-car		cape
1913.	caterpillar		block-note
	vitamine		bulldozer
1915.	pouloper		hard-labour
1916.	tank		objecteur (de conscience)
1918.	taylorisme (am.)		suffragette
	jazz (am.)		kidnapper (am.)
1919.	dancing (hall)		paragon
1920.	cyclecar		excentrique
	flask		blazer
	pull-over		devon
	supporter		

I. — L'Angleterre aux XVIIᵉ et XVIIIᵉ siècles

C'est vers le milieu du XVIIᵉ siècle que commence à se faire sentir l'influence anglaise ; sur 55 mots anglais empruntés entre 1600 et 1700, 8 seulement apparaissent avant 1650.

Ils sont d'ailleurs très intéressants car ils montrent bien dans quelle direction va s'exercer l'influence britannique :

— le commerce maritime : *flibot* (1628), *paquebot* (1634) et *prime* (1620), au sens de « prime d'assurance » ;

— les voyages exotiques : *pingouin* (1610), *calicot* (1613), *opossum* (1640) ;

— les mœurs britanniques : *mastiff* (1611), *contre-danse* (1626) ;
— la terminologie parlementaire : *speaker* (1649).

Les premiers termes scientifiques n'apparaissent pas avant 1720 (cf. *infra*, p. 95).

1. Le commerce maritime. — XVIIe : *prime, paque-bot, yacht* (néerlandais), *stock, tonnage, ketch, fli-bustier* (néerlandais), *importer, warrant, corporation, interlope* (à propos de navires trafiquant en fraude), *standard, sterling.* XVIIe : *sloop* (néerlandais), *lougre, brick, chèque, cotre.*

2. Voyages exotiques et coloniaux aux Indes, aux Caraïbes, en Amérique du Nord. — XVIIe : *pingouin, calicot, opossum, banian, alligator, planteur, talli-pot* (arbre de l'Inde), *rhum, grog.* XVIIIe : *tabou, mocassin, antilope, maryland, tatouer, outlaw, ca-talpa, geyser, casimir, yak, convict, jungle.*
A cette époque apparaissent les premiers améri-canismes ; et d'abord, à tout seigneur tout honneur, *dollar* (1776), bientôt suivi par *yankee* (1776).

3. Les mœurs britanniques. — Les premiers signes de l'anglomanie apparaissent au milieu du XVIIe siècle ; on commence à boire du *bouleponche* (bowl punch, 1653), à danser *la gigue* (1658) ; à planter des *boulingrins* (bowling green, 1664). Bientôt d'ailleurs ces mots vont perdre leur figure française et on importe de purs anglicismes : *groom, pudding,* etc.
L'Angleterre, durant toute cette période, apporte à la société française des modes vestimentaires, des sports et des jeux, des danses, des motifs architec-turaux, enfin des notions abstraites relatives à des

comportements sociaux; et même à des préparations culinaires.

Il faut d'ailleurs noter que parmi ces mots certains restent longtemps de purs anglicismes et n'apparaissent à cette époque que sous forme isolée dans des récits de voyages et des ouvrages relatifs à l'Angleterre (nous les avons notés entre guillemets, portant en regard la date où ils pénètrent effectivement dans l'usage français) :

— danses : *contredanse* (1626), *gigue* (1658) ;

— vêtements : *plaid* (1708), *moire* (1650), *flanelle* (1650), *redingote* (1725), *frac* (1767), *spencer* (1797) ;

— aliments : *bouleponche* (1698), *pudding* (1678), *rosbif* (1798), *toast* (1762), *grog* (1776), *bifteck* (1806), *rhum* (1688) ;

— habitation : *boulingrin* (1664), *hall* (1672), *square* (1725), *panorama* (1799) ;

— jeux de cartes : *partenaire* (1767), *singleton* (1767), *chelem* (1773), *trick* (1773), tous mots qui attestent l'origine britannique du *whist* (1761), ancêtre du *bridge* ;

— sports : *boxe* (1698), *football* (« 1698 »-xixe), *cricket* (1726), *jockey* (1776), *box* (1777), *groom* (1669), *golf* (« 1792 »-xixe), *curling* (« 1792 »), *stick* (« 1795 »).

— mots de civilisation : *anglican* (1554), *puritain* (1562), *conformiste* (1666), *fashion* (« 1698 »-xixe), *humour* (1725), *égotisme* (1726), *sentimental* (1769), *humoriste* (1770), *magazine* (1776), *splénétique* (1776), *confortable* (1786), à quoi on ajoutera des titres comme *lady* (1669), *miss* (« 1713 »), *commodore* (« 1760 »), *gentleman* (1769).

4. Les institutions parlementaires et judiciaires. —

Le parlementarisme anglais est au xviiie siècle le

modèle et l'envie des philosophes. Ces institutions ne s'installent en France qu'après la Révolution, mais la plupart d'entre elles sont mentionnées dans des récits de voyages et surtout dans les œuvres historiques et politiques de Montesquieu, de Voltaire.

Speaker (« 1649 »-xixe) au sens de Président des Communes.

Excise (impôt) apparaît chez Montesquieu en 1650. Viennent ensuite, *comité* (1650), *verdict* (« 1669 »-xixe), *bill* (« 1669 »), *quorum* (« 1672 »-xixe), *allégeance* (1688), *jury* (« 1688 »-xixe), *shérif* (« 1688 »), *coroner* (« 1688 »), *pamphlet* (« 1698 »-xixe), *vote* (« 1702 »-xixe), *club* (« 1702 »-1780), *sinécure* (1715), *meeting* (1733), *franc-maçon* (1775), *budget* (« 1768 »-1806), *motion* (1775), *omnium* (« 1776 »), *constable* (« 1776 »), *officiel* (1778), *politicien* (1778), *attorney* (1786).

Une organisation commerciale, une « société », une monarchie parlementaire, tels sont les modèles que l'Angleterre du xviiie siècle offre à la France et à l'Europe.

L'Angleterre industrielle et scientifique ne se développera que plus tard. Cependant une dizaine de mots scientifiques apparaissent dès le xviiie siècle. En voici la liste : *réfrangible* (1720), *inoculer* (1722), *ventilateur* (1744), *confort* (1771), *dispensaire* (« 1775 »-1885), *coke* (1773), *croup* (1777).

Réfrangible est un mot créé par Newton. Les mots *inoculer, inoculation, dispensaire, croup,* tous anglais d'origine, sont liés à la découverte de la vaccination.

Tels sont les quelque 200 termes originaires d'Angleterre, empruntés par le français au cours du xviie et surtout du xviiie siècle. Ils appartiennent à un petit nombre de champs sémantiques bien organisés : la terminologie parlementaire dont

l'Angleterre offre le modèle ; l'anglomanie d'une société aristocratique qui cherche outre-Manche des
sports (en particulier les courses de chevaux), des
jeux (en particulier le whist), des habitudes alimentaires et vestimentaires.

Mais la pénétration de ce vocabulaire reste super-
ficielle, sous forme d'anglicismes mentionnés dans
des récits de voyages.

Dans la mesure, par ailleurs, où ces mots sont
acclimatés ils sont francisés ; tels sont : *bouleponche*,
bouledogue, *boulingrin*, *redingote*. Le *boulingrin* ou
bowling-green est à l'origine une pelouse où l'on
joue aux boules ; la *redingote* est un *riding-coat* ou
veste de cheval, etc. Un mot comme *roast-beef*
apparaît une première fois en 1698 sous la forme de
rôt-de-bif. Voltaire en 1756 revient à une forme
anglicisée *rostbeef* et c'est à la fin du siècle que se
normalise et se généralise notre *rosbif*.

On accordera une place à l'influence de la littérature avec des mots comme *humour*, *sentimental*,
splénétique ; sans parler de *romantique*, adjectif dérivé de roman qui est à la fin du xviie un mot purement indigène, mais qui au cours du xviiie subit
l'influence de l'anglais *romantic*, comme l'atteste
un document de 1745 : « Plusieurs Anglais essayent
de donner à leurs jardins un air qu'ils appellent
romantic. »

C'est là l'origine du « pré-romantisme » à la Rous-
seau, alors que le mot prendra son sens actuel — qui
l'oppose à *classique*, avec Mme de Staël qui l'emprunte à l'allemand *Romantische*.

Notons enfin pour cette période l'apparition des
premiers américanismes : *dollar* et *yankee* plus haut
cités ; mais aussi *politiciens* qui désignent, à l'origine, des hommes politiques de l'Amérique avec une
valeur déjà péjorative. *Loyaliste*, de même, appa-

raît en 1717 dans un ouvrage sur l'Angleterre, où il désigne les Américains restés dévoués au gouvernement britannique.

II. — L'Angleterre du XIXᵉ siècle

Au cours du XIXᵉ siècle, l'influence britannique s'intensifie et c'est près de 400 mots que nous empruntons durant cette période. Toujours dans les mêmes domaines du commerce, des voyages, des sports, de la mode. Mais surtout maintenant dans celui des sciences et de l'industrie ; en particulier les chemins de fer et l'électricité.

En même temps la pression des américanismes est de jour en jour plus marquée.

Il n'est malheureusement pas possible de faire une analyse exhaustive de tous ces mots ; mais la liste que nous en avons donnée parle d'elle-même ; nous y renvoyons le lecteur, nous contentant de relever les plus caractéristiques.

La mode des sports hippiques se généralise autour de 1830 ; d'où des mots comme *tandem* (1816), *handicap* (1827), *poney* (1825), *pedigree* (1828), *steeple-chase* (1828), *turf* (1828), *paddock* (1828), *derby* (1829), *sweepstake* (1828), *drag* (1859), *outsider* (1859), *starter* (1862), *canter* (1862), *yearling* (1868), etc.

Nous empruntons par la même voie de nombreux attelages : *mail-coach* (1802), *boghei* (1809), *tilbury* (1820), *cab* (1850), *dog-cart* (1858), *break* (1859), *sulky* (1860).

Pour les innombrables noms de vêtements (*carrick*, *macfarlane*, etc.) ; de sports (*tennis*, *polo*, etc.), de mœurs (*lunch*, *flirt*, etc.), le lecteur se reportera à notre inventaire.

Il est toutefois un domaine qui appelle une mention spéciale, c'est celui des chemins de fer, avec des mots comme *tramway* (1818), *tunnel* (1829), *condenseur* (1834), *tender* (1837), *viaduc* (1838), *terminus* (1842), *bogie* (1843), *truck* (1843), *express* (1849), *sleeping-car* (1872), *block-system* (1874), etc. *Wagon* apparaît dès 1698 mais au sens premier de voiture bâchée, il revient avec son sens ferroviaire en 1846.

Aux Anglais nous devons aussi de nombreux produits industriels : *le gutta-percha* (1845), *l'ébonite* (1868), *le catgut* (1871), *le linoléum* (1874). Certains sont importés, en particulier des Indes, comme *le casimir, le patchouli, le tussor, le shampooing* ou *les pyjamas.*

Ce sont les Anglais et avec eux les Américains qui organisent l'art du spectacle et créent *le music-hall* (1862), *le récital* (1884), *le festival* (1830), *le manager* (1884).

Les Anglais sont les premiers *touristes,* le mot apparaît dès 1816 en parlant d'Anglais ; *tourisme* date de 1872.

A partir de 1920 l'anglais est relayé par l'anglo-américain qui nous envoie *le film, l'avion, le jazz* et d'innombrables produits industriels et publicitaires. Il est trop tôt pour apprécier cet apport qui ne s'est pas encore décanté. Nous en dirons quelques mots en conclusion.

Disons ici que l'américanisme fait son apparition vers le milieu du XIXe : *les prospecteurs, le spiritisme, le poker* nous viennent d'Amérique dans le même temps que le *cocktail* (1860).

Parmi cet apport considérable et si divers, de l'anglais, il faut faire une place à un certain nombre de mots importés de France au XIIe siècle, au moment de la conquête normande et qui nous reviennent aujourd'hui avec des significations ou des connotations nouvelles : *ticket, toast, partenaire, tour*, *parlement*, *flirt*, *budget*, *verdict*, *jury*, *sport*, *tennis*, *hockey*, *croquet*, etc.

Ainsi *budget* représente l'ancien français *bougette* au sens de poche et a d'abord désigné le sac du trésorier.

Le *verdict* est notre ancien *verdit* ou *veredictum*, c'est-à-dire « vérité ».

Le *jury* est notre médiéval *jurée* qui désigne le serment judiciaire.

Tennis est le français « tennez », terme par lequel on annonçait le service de la balle au jeu de paume qui se jouait dans une *court* (forme ancienne de *cour*).

Le *champion* entrait dans le « champ clos » du tournoi ou du duel judiciaire et il y lançait un défi nommé *challenge*.

Le mot *sport*, lui-même, vient de l'ancien français *se desporter* qui signifiait « se distraire », « se délasser ».

Ainsi nos vieux divertissements nous reviennent sous forme de jeux étroitement structurés et réglementés.

On mesurera de même toute la distance qui sépare le britannique *flirt* de son ancêtre *fleureter*, qui n'est pas autre chose que « conter fleurette ». C'est l'histoire de tous les mots qu'il faudrait ainsi refaire.

On a vu les méandres qu'a suivis un mot comme *romantique* (cf. *supra*, p. 94) et personne *a priori* ne chercherait un anglicisme derrière un mot en apparence aussi français qu'*indésirable*. Cependant il a été à l'origine emprunté à l'anglo-américain *undesirable* qui désigne les personnes dont les services d'immigration jugent l'accès « indésirable ». Le mot est devenu populaire à la suite du scandale de presse fait à un important personnage qui s'était enfui du domicile conjugal avec la gouvernante de ses enfants et s'était vu de ce fait refuser l'entrée au Canada, comme *undesirable*.

L'histoire de beaucoup de mots est ainsi fort complexe et le lexicologue doit en débrouiller patiemment la piste. On a vu plus haut celle de *véranda* (cf. *supra*, p. 58).

Mais, faute de pouvoir examiner tous ces problèmes, concluons simplement que parmi les mots venus d'Angleterre on peut distinguer quatre grandes couches :

— les mots anglo-saxons du type *standard, spleen, cake*, etc. ;

— les mots anglo-normands du type : *sport, tennis, flirt, budget*, etc. ;

— les mots exotiques du type : *pyjama, véranda, mocassin*, etc. ;

— les mots savants (latins ou grecs) du type : *importer, sinécure, inoculer, photographie*, etc.

CHAPITRE VII

LES MOTS ÉTRANGERS

Notre analyse, jusqu'ici essentiellement historique, visait à établir l'origine des mots, leurs voies
de passage et les circonstances géographiques, économiques, politiques, culturelles qui en ont entraîné
l'emprunt.

Nous nous placerons maintenant sur le plan purement linguistique de la forme de ces emprunts et
des catégories lexicales auxquelles ils peuvent être
ramenés.

Le mot est à la fois une forme et un sens ; un nom
et une chose désignée. Cette définition nous permet
de distinguer différents types d'emprunts :

1. **Emprunt du nom et de la chose.** — C'est le
cas de mots du type *concerto, basket-ball, mazurka*
dans lesquels on importe en même temps la chose
et le mot qui la désigne sous sa forme originale.

2. **Emprunt du nom sans la chose,** dans lequel le
mot est pris sous sa forme étrangère, sans emprunt
de la chose désignée qui demeure une réalité stricte-
ment allogène, par exemple : *izba, vizir, florin,
christmas-pudding.*

3. **Emprunt de la chose sans le nom,** celui-ci étant
calqué au moyen d'équivalents indigènes, ainsi
mont-de-piété (ital. *monte-di-pieta*) ; *quartier-maître*
(all. *Quartiermeister*) ; *dada* (angl. *hobby-horse*) ;

autoroute (ital. *autostrada*) ; *pot-pourri* (esp. *olla protrida*).

4. **Francisation du nom.** — *Esplanade* (ital. *spianata*) ; *boulingrin* (angl. *bowling-green*). A quoi on ajoutera la contamination de la forme, accompagnée souvent de fausses étymologies, ainsi : *contredanse* (angl. *country-danse*, « danse de la campagne ») ; *choucroute* (all. *sauerkraut*, c'est-à-dire « herbe », *kraut*, « aigre » *sauer*) ; *hausse-col* (germ. *halskot*, « cotte du cou »).

5. **Francisation de la chose** qui, en entrant dans la langue, prend des connotations particulières ; ainsi : *reître*, *hâbler*. A quoi on ajoutera la contamination de la chose, lorsque deux mots de forme identique, mais de sens différent dans les deux idiomes, réagissent l'un sur l'autre. Ainsi le français *réaliser*, « rendre réel » prend le sens de l'anglais *to realise*, « se rendre compte » ; le français *créature*, « chose créée », prend le sens de l'italien *creatura*, « personne protégée et poussée par une autre ».

Tous ces faits, dont nous avons donné de nombreux exemples, visent à l'assimilation de ces corps étrangers et à leur intégration dans le système de la langue ; intégration qui se fait aux différents niveaux : phonétique, morpho-lexical (suffixation et préfixation), syntactico-lexical (composition).

A tous ces niveaux, le mot mal intégré dans le système indigène, sans support dans la conscience linguistique de l'emprunteur est particulièrement vulnérable et exposé à des altérations de la forme et du sens.

I. — L'intégration phonétique

La francisation phonétique repose sur le déplacement de l'accent tonique et la réduction de la finale, conformément aux deux types de mots français : les « masculins » accentués sur la finale et les « féminins » accentués sur l'avant-dernière syllabe, la finale étant alors un *e* sourd, post-tonique.

Les mots italiens en -*a* ont changé leur finale en *e* atone ; les autres ont perdu leur voyelle finale. Ainsi *gabela*, *disgrazia* donnent *gabelle*, *disgrâce* alors que *capitone*, *sacco* aboutissent à *capiton*, *sac*.

L'*e* final italien, toutefois, peut se conserver sous forme d'un *e* post-tonique dans des mots comme *belvédère*, *cicérone*, *condottiere*.

Un *e* final peut aussi apparaître comme soutien d'un groupe de consonnes : ainsi, *pilastro* donne *pilastre* ; *presto* > *preste*. Un mot du type *brave* < *bravo*, de même, conserve la finale en vue de soutenir la consonne, car il n'existe pas de *v* final en français, la forme « française » de *bravo* serait *braf* ce qui rendrait le mot méconnaissable.

Les suffixes sont ramenés à leurs correspondants français : *papabile* > *papable* ; *reuscire* > *réussir* ; *discortese* > *discourtois*, etc.

De même les préfixes sont francisés : *in-* devient *em-* : *imboscare* > *embusquer* ; *incastrare* > *encastrer*, etc.

L'initiale *s* + consonne est uniformément élargie d'un *e* épenthétique : *strato* > *estrade* ; *strappare* > *estraper*, etc.

A l'intérieur du mot le groupe consonne + *l*, qui a été palatalisé en italien, retrouve son articulation : *fiasca* > *flasque* ; *fiorino* > *florin*, etc.

D'autre part, la langue conserve certains mots sous leur forme originale (à l'accent près). Ces mots désignent généralement des choses spécifiquement italiennes : *pergola*, *lazzarone*, etc. Il peut aussi se former des « champs » d'italianismes. Par exemple, celui de la terminologie musicale. Le nom des pâtes

alimentaires s'accommode ainsi fort bien d'un *i*
final : *macaroni*, *spaghetti*, *ravioli*, *caneloni*, etc.

Voici la liste d'une cinquantaine de mots que le
français a gardés sous leur forme italienne :

agio	diva	lazzi	pergola
belvédère	dolce	libretto	piano
carbonaro	duo	loggia	piccolo
casino	fortissimo	macaroni	presto
cicérone	franco	maestro	solo
coda	galega	maffia	soprano
condottiere	ghetto	mercantile	tombola
confetti	imbroglio	numéro	vendetta
contralto	impresario	ocarina	villa
crescendo	incognito	oratorio	zéro
da capo	influenza	paranzella	
dilettante	lazarone	paroli	

Mais tous ces mots déplacent l'accent sur la
finale ; c'est là une des lois absolues du phonétisme
de nos emprunts quelle qu'en soit l'origine.

La majorité de finales en -*o* permet, d'autre part,
d'intégrer ces mots dans notre système lexical à
côté de *canot*, *vélo*, *auto*, etc.

Si la parenté des systèmes phonétiques de l'italien et du français a facilité l'assimilation, il en est
tout autrement de l'anglais qui, outre l'accent tonique, possède des sons étrangers au français ; en
particulier un riche éventail de diphtongues et de
groupes de consonnes.

Ainsi, un mot comme *roast-beef* perd en français
à la fois sa diphtongue *ou* (notée *oa*), son *i* long
(noté *ee*) et son groupe *stb* d'où *rosbif*. De même *beef-
steak* est, selon les mêmes principes, ramené à *bifteck*.

Jusqu'au milieu du XIIe siècle on trouve deux
types d'emprunts anglais, selon que le mot est ou
non assimilé.

Les mots assimilés : *contredanse*, *paquebot*, *moire*,
flanelle, *boulingrin*, *rosbif*, *bouledogue*, etc., désignent des choses assimilées.

En revanche des mots non assimilés désignent des

choses spécifiquement anglaises : *lady, gentleman, bill, pudding, coroner, sterling,* etc.

La langue conserve une forme étrangère à des mots représentant des choses étrangères. On ne peut, en effet, franciser *gentleman* en *gentilhomme* car un gentleman est tout autre chose qu'un gentilhomme, c'est un « gentilhomme anglais »; de même aujourd'hui un *building* n'est pas seulement une *construction* mais une construction de style américain, etc.

Il est donc normal que les mots conservent leur forme étrangère dans la mesure où ils traduisent des dénotations sémantiques étrangères. Ils peuvent être, d'autre part, porteurs de connotations stylistiques. La maîtresse de maison qui donne un *lunch* ou une *surprise-party* tient — à tort ou à raison, ce n'est pas ici la question — à afficher une anglomanie qui se manifeste par la forme du mot aussi bien que par la chose.

De même l'industrie, le commerce, l'hôtellerie, le spectacle, etc., peuvent, à la faveur de la mode, se réclamer d'une anglicité ou d'une pseudo-anglicité, par le biais d'un vocabulaire souvent naïf, dans le style de ce bar se proclamant *Antoin's cocktailrama.*

Il y a donc d'une part les mots assimilés et francisés à la fois de forme et de sens ; et les « anglicismes », sémantiques ou stylistiques. Je ne pense pas qu'il y ait intérêt à accélérer, plus ou moins artificiellement, l'assimilation de la seconde catégorie, comme le voudraient certains, sous le prétexte qu'ils défigurent notre langue. Je crois, pour ma part, qu'il est préférable que ces choses « étrangères » conservent un nom étranger ; le mot et la chose seront ainsi plus aisément repérés et plus vite éliminés. Pourquoi changer *blue-jeans* en *blougines* et à le naturaliser prématurément, alors que dans 5 ou 6 ans plus personne n'en parlera (peut-être ?).

L'expérience montre que les mots « étrangers », en perdant leur fonction sémantique et surtout stylistique, sont expulsés de la langue. Prononçons donc à l'anglaise les mots anglais et à la française ceux d'entre eux que nous avons adoptés et naturalisés.

Ce problème est toutefois considérablement compliqué, à l'époque moderne, par l'orthographe. A l'heure actuelle les emprunts anglo-saxons s'étendent à un grand nombre de sphères sémantiques populaires : sports, arts ménagers, spectacles, etc. Ces mots, d'autre part, parviennent au public sous forme écrite. Ils sont alors prononcés d'après leur orthographe ; on entend alors dire *métingue* ou même *métinge*, *pulovère*, *gazoale*, etc. C'est certainement une très fâcheuse tendance et qu'il y aurait lieu de tenir en échec, en dépit de quelques précédents, de mots désormais figés comme *club* que les orthophonistes nous disent de prononcer *club* avec un *ü* comme celui de *tube*.

Ceci dit, les problèmes soulevés par la prononciation et l'orthographe des mots étrangers — principalement anglais — sont complexes, difficiles et source de nombreuses controverses souvent passionnées. Je crois qu'ils sont irréductibles à aucune règle en dehors des quelques principes que nous venons de dégager.

Voici, à titre d'exemple, quelques-unes des orthographes du nom de *Shakespeare*, telles que les a relevées M. Baldensperger :

Shakespeare (1693)
Shakespear (1710)
Shakees Pear (1720)
Shakes pear (1734)
Sakespear (1740)
Saspar (1740)
Sasper (1740)
Saksper (1741)
Shakespear (1747)
Shakepir (1753)

Shakespeart (1760)
Cheespir (1769)
Shakespéar (1770)
Shakespeare (1784)
Shakespir (1784)
Shakespehar (1804)
Sakespeare (1804)
Sakespear (1805)
Shakspire (Musest)

lisée. Ce son, toutefois, est étranger au système phonétique du français ; et je serais, pour ma part, assez partisan d'une prononciation *sterlingue*.

Le nombre croissant de mots en *-ing*, d'autre part, introduit dans la langue une finale qui est en train de se constituer en suffixe. Ceci ne serait pas grave si ce suffixe avait une valeur précise, ce qui n'est malheureusement pas le cas.

En anglais le suffixe *-ing* sert à former des substantifs à partir de verbes pour désigner l'action verbale et, secondairement, le résultat de cette action : *meeting* = action de se rencontrer, rendez-vous ; *building* = action de construire et résultat de cette construction. Ces mots entrent, en anglais, dans des composés du type : *smoking-jacket* (veston mis pour fumer), *sleeping-car* (wagon pour dormir), *parking-lot* (emplacement pour parquer).

Mais, conformément à une tendance propre aux emprunts, la plupart de ces mots ont subi, en français, l'ellipse du second élément, d'où il résulte que la relation entre le suffixe et le radical s'est complètement altérée.

Aujourd'hui, en français, le *yachting* est une action, le *shampooing* un instrument, le *dancing* un lieu, le *smoking* un vêtement, etc.

Toutefois il semble bien que la notion de lieu soit en train de se dégager dans *skating*, *bowling*, *dancing*, *camping*. C'est ce qui explique sans doute la vitalité de *parking*, cible de l'Office du Vocabulaire Français qui en fait un test. Mais c'est en vain qu'il distribue les médailles du mérite lexical aux maires wallons et aux gardes champêtres charentais féalement ralliés au panonceau du *parcage*.

Un autre problème est posé par l'abondance des mots anglais à suffixe *-er* qui représente (dans la grande majorité des cas) le français *-eur*.

Le français a déjà francisé *planteur* et *prospecteur*
qui ont un radical latin. Pour tous les autres, et ils
sont de plus en plus nombreux, nous conservons
l'orthographe *-er* ; cependant que nous hésitons sur
la prononciation. Fouché conseille *reporter*, *starter*,
tender (avec *-ère*) ; mais *driver*, *leader*, *puncher*
(avec *-eur*).

Il semble qu'on pourrait franciser le nom des
choses entièrement intégrées et opposer le *speaker*
des Communes au *spiqueur* de la radio.

A ce propos, on a souvent relevé que *speaker* est
un de ces *suranglicismes*, de ces mots qui n'existent
pas en anglais au sens que nous leur donnons (voyez
de même *smoking*, *footing*, *shake-hand*, etc.). Mais
les critères étymologiques n'ont point de valeur
pour ou contre un mot.

Un autre problème est soulevé par les mots
composés ; il est peu sensible pour les emprunts
romans qui ont une structure voisine de la nôtre.
Mais la composition est très différente en français
et dans les langues germaniques. Tout d'abord le
français répugne à la composition, alors que l'anglais
ou l'allemand l'emploient constamment.

D'autre part un composé est motivé ; il repose
sur une relation sémantique et syntaxique entre les
deux termes du mot. Or cette relation cesse d'être
perçue par l'étranger qui saisit le mot comme une
unité sans le décomposer ; voyez *boulingrin*, *redingote*, *moleskine*, etc.

Il en résulte qu'un très grand nombre de composés tendent à s'élider ; on a déjà vu le cas de *smoking*,
parking, *bowling*, etc., auxquels on ajoutera *fox*
(terrier), *foot* (ball), *tram* (way), etc., dans lesquels
le terme principal qui est, comme on va le voir
toujours le second en anglais, se trouve éliminé au
profit d'un terme secondaire.

En effet l'anglais et le français diffèrent sur un point très important qui est l'ordre des termes ; il est progressif dans notre langue qui place le déterminant après le déterminé : *pomme de terre, timbre-poste* ; il est régressif dans les langues germaniques.

Ceci est sans grande incidence dans les mots assimilés du type *redingote* ; ou immotivés du type *bow-window* dans lesquels le locuteur français n'a pas le sentiment de la composition ; mais il en va tout autrement dans les calques. Dans un mot comme *autoroute* nous sentons bien qu'il s'agit d'une route pour autos ; et le déterminant précède donc le déterminé ce qui est tout à fait contraire à la structure morphologique du français ; il en est de même dans *quartier-maître* < -allem. *Quartier-meister*, et les calques anglais du type *libre-échange, franc-maçon, plate-forme*, etc.

Ces exemples et quelques autres, s'ils se multiplient, risquent d'altérer dangereusement l'économie de la langue, dans une mesure où ils touchent à la syntaxe (cf. *infra*, p. 113).

III. — L'intégration lexicale

L'assimilation lexicale se fait par un double processus : le *calque* ou le *glissement sémantique*.

1. Le calque morphologique consiste à traduire la forme étrangère par son équivalent indigène.

Henri Estienne relève de nombreux calques italiens du type : *estre en cervelle, voir dire, divinement bien*, etc.

L'anglais *free-mason* ou *blue-stocking* sont de même traduits par *franc-maçon, bas-bleus*, etc.

Le calque est la solution la plus naturelle à la francisation des langues techniques.

La langue du foot-ball, par exemple, traduit *goal* par *but*, *penalty* par *pénalité*, *shoot* par *tir*, etc.

L'une des difficultés majeures du calque tient au fait que les mots tirent leurs significations et leurs valeurs de leur place au sein du système linguistique et que le champ structural de deux mots correspondants est rarement identique dans les deux systèmes. Le calque morphologique est surtout employé pour la traduction de locutions complexes.

A la langue des sports nous devons : *défendre les couleurs, avoir le meilleur, le tenant du titre, gagner dans un fauteuil, courir contre la montre, nager le cent mètres, être en forme, faire un temps admirable*, etc.

La langue des sciences nous a donné : *contrainte morale, foi implicite, lutte pour la vie, sens commun, culture de l'esprit, psychologie expérimentale, division du travail, loi de l'offre et de la demande, libre-pensée, état de nature*, etc.

Solutions somme toute fécondes et dont on ne voit pas pourquoi elles devraient être proscrites.

2. **Le calque sémantique** en revanche est beaucoup plus insidieux, c'est le procès par lequel le sens d'un mot étranger déteint sur un mot indigène de forme identique ou voisine.

H. Estienne relève des italianismes du type *créature* au sens de « homme soutenu par un parti » ; et bien d'autres tels que : *dégoûter* > « goûter » ; *fermer* > s' « arrêter » ; *forestier* > « étranger » ; *passager* > « passeur », etc.

Particulièrement typique est le calque anglais *réaliser* > « se rendre compte ».

M. Etiemble en dénonce très justement toute une série : *contrôler* > « diriger » ; *diète* > « régime » ; *irresponsable* > « léger » ; *carriériste* > « arriviste », etc. (cf. *Parlez-vous franglais ?*, p. 218 et ss.).

IV. — L'intégration grammaticale

La langue finit toujours par filter, assimiler et épurer le vocabulaire. Le danger, en revanche, est réel lorsque sont mises en cause les structures grammaticales de l'idiome ; sa morphologie et sa syntaxe.

Les italianismes nous avaient déjà posé le problème des pluriels de mots comme *solo, concerto*, etc. Mais le système grammatical de l'italien est voisin de celui du français, alors que celui de l'anglais nous est entièrement étranger.

Les mots anglais mal assimilés nous posent non seulement le problème du pluriel : *ladys* ou *ladies*, *gentlemans* ou *gentlemen*, etc., mais celui, tout nouveau du genre, du fait qu'il n'y a en anglais qu'un genre ; ainsi faut-il dire *un interview*, notre masculin représentant une sorte de forme neutralisée, ou *une interview* par une association plus ou moins consciente avec *une entrevue* ?

Beaucoup plus graves encore sont les problèmes de syntaxe posés par des calques exposés à tous les pièges du charabia, et de barbarismes qui, en se généralisant, risquent de s'attaquer aux structures mêmes du français ; qui, en fait, sont en train de les ronger comme une lèpre.

A mesure que ces « sabirismes » se multiplient, ils tendent à introduire de nouvelles constructions dans la langue. Elles ne sont pas toutes condamnables *a priori*, mais elles doivent être très étroitement surveillées. On relève, par exemple, un nouveau type de composés par juxtaposition : *crédit vacances, coin rangement, pause café...*

On constate une hypertrophie du passif. Et si un tour du type *il est conseillé aux clients...* n'est pas en soi répréhensible, il mène facilement à des abus.

Voyez, de même, les régimes à double préposition

dont M. Etiemble donne ce caractéristique exemple : « Sur le plan de la politique, le double refus de
l'obsession exclusive du, et de l'indifférence au,
progrès économique caractérise notre situation. »

Si nous laissions se propager de tels tours nous
dilapiderions en quelques années le capital accumulé
par 20 générations d'écrivains, de grammairiens, de
traducteurs. On ne saurait trop souligner ce danger
et la responsabilité qui nous incombe.

Nous pouvons espérer reconstruire nos maisons
et nos routes et il n'est pas entièrement impossible
que nous retrouvions un jour une université, mais
les dégradations de notre système linguistique sont
irrémédiables (1).

Or ceci n'est pas un épouvantail et le danger
n'est pas moins réel pour nourrir tel chauvinisme,
telle nostalgie de grandeur. Ne sommes-nous pas en
train de parler un sabir ? Il est temps de nous le
demander avec M. Etiemble.

V. — Parlons-nous franglais ?

Notre langue est actuellement soumise à une
puissante et inquiétante pression.

Certes le phénomène n'est pas nouveau et depuis
trois siècles les grammairiens n'ont jamais cessé de
dénoncer l'italomanie, l'hispanomanie, l'anglomanie des littérateurs, des mondains et des jargon-
neurs de tout poil.

Les humanistes, en particulier Henri Estienne
dans ses *Deux Dialogues du nouveau langage fran-
çoys italianizé et autrement desguizé* (1578), ne man-
quent pas de s'indigner et de vitupérer contre ces

---

(1) On songe, entre autres, à l'incohérence, à la confusion, au
gaspillage qui résultent d'une orthographe absurde, mais dont nous
sommes désormais prisonniers.

« mauvais mesnagers qui, pour avoir plustost faict, empruntent de leurs voisins ce qu'ils trouveroyent chez eux s'ils vouloyent prendre la peine de le chercher » ... « à voir les courtisans emprunter d'Italie leurs termes de guerre, laissans leurs propres et anciens... on viendrait à penser que la France ait appris l'art de la guerre en l'eschole de l'Italie ».

« Encores — poursuit Henri Estienne — faisonsnous souvent bien pis, quand nous laissons, sans savoir pourquoy, les mots qui sont de notre creu, et que nous avons en mains, pour nous servir de ceux que nous avons ramasséz d'ailleurs.

« Je m'en rapporte à *manquer* et à son fils *manquement*, à *baster* et à sa fille *bastance*, et a ces autres beaux mots *à l'improviste, la première volte, grosse intrade, un grand escorne.* Car qui nous meut à dire *manquer* et *manquement* plutôt que *défaillir* et *défault* ? *baster* et *bastance*, plustot que *suffire* et *suffisance*? Pourquoi trouvons-nous plus beau *à l'improviste* que *au despourveu* ? *la première volte* que *la premiere fois* ? *grosse intrade* que *gros revenu* ? Qui fait que nous prenons plus de plaisir à dire : il a receu un grand *escorne* qu'à dire *il a receu une grande honte* ou *diffame* ou *ignominie* ou *vitupere* ou *opprobe*. » (H. Estienne, *Conformité...*, p. 22, d'après Brunot, II, 202.)

C'est encore H. Estienne — toujours d'après Brunot — qui met plaisamment en scène le jargon d'un gentilhomme « courtisanopolitois » :

« J'ay bonnes jambes (de quoi Dieu soit ringratié), mais j'ay batu la strade desia tout ce matin, et n'estoit cela il me basteret l'anime d'accompagner vostre seigneurie partout ou elle voudret... Sa maison est fort discote, principalement pour un homme qui est desia un peu straque, comme je vous ay dis que j'estes. Toutesfois je ne crain pas tant la fatigue du chemin comme j'ay peur que nous ne le trouvions pas in case. Mais (pour jouer au plus seur) j'envoiray mon ragasch pour en savoir des nouvelles. Prenons un autre chemin de grace. Car ce seret une discorte-sie de passer par la contrade ou est la case des dames que scavez, sans y faire une petite stanse, et toutes-fois, je ne suis pas maintenant bien acconche pour comparoir devant elles. » (H. Estienne, *Deux Dialogues*, t. I, p. 44, d'après Brunot, p. 202.)

Au XVIe siècle, grammairiens et censeurs de toute origine s'inquiètent et s'indignent d'une manie italianisante dont notre inventaire ne donne qu'une faible idée ; car c'est par centaines qu'on relève, dans des textes du temps, des mots non retenus par le dictionnaire. Rabelais, par exemple, nous parle de *mattons* ou « feux d'artifices », de *palles* ou « boulet da canon », de *razes* ou « fusées », de *sciope* ou « fusil », etc.

C'est toujours Henri Estienne qui relève une longue liste de : « *aconche, amorevolesse, balorderie, bugie, callizelles, capite, contrade, disco, dismentiquer, disturbe, domestichesse, férité, fogge, forfant, gofferie, s'imbater, imbratter, imparer, il m'incresce, indugier, s'inganner, leggradresse, mariol, mescoler, noye, poignelade, pugnade, ragionner, rinfresquer, ringratier, riposte, salvatichesse, sbigottit, sgarbatement, signale, spaceger, spurguesse, stenter, stane, straque, voglie* ».

Si le lecteur, d'autre part, veut bien se reporter à notre inventaire, il constatera qu'une notable partie de ces emprunts n'a eu qu'une vie épisodique, n'est restée que quelque temps à la surface de la langue pour en disparaître bientôt.

Des mots comme *baudins, calcet, écavenade, estrapasser, étudiole*, etc., il ne reste plus rien. Quant aux vocables retenus, la grande majorité en a été fran-cisée.

L'examen des anglicismes nous amène aux mêmes réflexions. Sur quelque 700 termes relevés dans le dictionnaire, combien sont-ils réellement en usage ? M. Henri Mitterand remarque dans son étude sur *Les mots français* (« Que sais-je ? », n° 270) que parmi les 1 000 mots les plus fréquents de la langue il n'y a qu'un seul terme étranger : *speaker*, et que la proportion est de 3 % pour les quelque 50 000 mots du *Petit Larousse*, soit 1 500 mots pour l'ensemble des langues étrangères.

Que reste-t-il des quelque 3 000 anglicismes dénombrés par M. Fr. Mackenzie *(op. cit.)* ; et nous ne devons pas oublier, d'autre part, que, selon le même auteur, nous avons, nous, durant la même période, exporté plus de 5 000 mots en Angleterre. Ceci devrait tempérer notre pessimisme en en montrant le caractère en grande partie affectif et irrationnel.

Mais en partie seulement, car la situation évolue et les bases sociales, culturelles et techniques sur lesquelles s'appuie l'anglomanie actuelle lui confèrent un dynamisme sans précédent. Cette situation, depuis plusieurs années déjà, émeut les sociologues et les linguistes. Aujourd'hui l'opinion est alertée par le récent ouvrage de M. Etiemble, *Parlez-vous franglais ?*

L'auteur, avec un mélange d'indignation truculente, d'humour cocasse et d'information pertinente, met en évidence la formation d'un « sabir atlantique » et en dénonce les dangers pour l'avenir de notre langue et, à travers elle, de notre culture.

C'est sur ce problème que j'aimerais terminer en exposant, à défaut de solution, au moins quelques réflexions qui se sont concrétisées au cours du présent travail.

Je crois, tout d'abord, qu'il n'y a pas de solution

d'ensemble, mais qu'il faut distinguer les niveaux
de langue. Il y a des problèmes posés par les langues
techniques : médecine, physique, etc., et leurs applications au cinéma, à l'aviation, à la stratégie ou à
la diplomatie. Il y en a d'autres au niveau de la
langue commune, à celui de nos modes de vie (sports,
modes, arts ménagers, etc.), si évidemment soumis
à la pression des *american ways of life*. Enfin, lié aux
deux premiers, mais en partie autonome et particulièrement urgent, le problème de l'information et
et de la communication par la presse, la radio, la
publicité.

Mais avant d'examiner ces problèmes, il nous faut
insister sur une distinction difficile, sinon à faire,
en tout cas à maintenir : il est indispensable de ne
pas confondre les mots et les choses.

Il y a la question de savoir si nous devons boire
du *coca-cola*, en permettre l'importation, l'installa-
tion sous forme de succursales françaises, la publicité, etc. ; ce qui est un problème culturel, hors du
domaine de la linguistique ; à cette dernière revient
d'apprécier les mots à l'aide desquels le « coca-cola »
est désigné ; dit-on *coca* (ellipse), *coke* (forme fran-
cisée), *coq* (étymologie populaire), etc.

Culture et langage sont évidemment solidaires,
mais nous devons, dans la perspective linguistique
du présent ouvrage, mettre le problème culturel
entre parenthèses. Il est clair que si nous cessons de
boire du *coca-cola*, nous cesserons d'employer le mot.
L'américanisation de notre langue est la consé-
quence de l'américanisation de nos mœurs.

C'est sur le seul plan linguistique que nous allons
ici poser le problème.

1. « American ways of life ». — La langue est
exposée à l'assaut quotidien de termes qui envahis-

sent notre cuisine, notre salle de bain, notre garde-
robe, nos routes, nos terrains de sport, etc.

Parmi ces emprunts il faut distinguer ceux qui
nous viennent avec les choses ; et parmi ces choses
ce qui est assimilé, digéré, de ce qui reste encore
sémantiquement ou stylistiquement étranger.

Peut-on, dans le premier cas, franciser le mot ?
J'en serais, quant à moi, assez partisan, étant en-
tendu que la décision appartient en dernier ressort
à « l'usage ».

Cette francisation peut être phonétique et on
pourrait prononcer et écrire : *cleube, smokingue,
snobe, snober, bildingue, pouloveur* ou *poule*. Elle
peut être lexicale, comme c'est le cas pour la terminologie de *foot-ball* > *ballon rond*, ou *foute*, ou *fout-
balle*, sport désormais bien français, quelle que soit
son origine, et qui dispose de toute une terminologie
indigène : *but, tir, touche, avant, pénalité*, etc.

Lorsqu'il s'agit, en revanche, de choses anglo-
américaines, laissons-leur leur nom qui nous permet
de les identifier et de les revendiquer ou de les
dénoncer selon notre goût, notre opinion ou nos
humeurs : le *whisky*, les *negro spirituals* sont choses
étrangères et il n'y a aucune raison de leur donner
un nom français tant qu'ils n'ont pas été naturalisés.
Les fesses de la dame du cinquième ne sont pas
moins déprimantes en *blougines* qu'en *blue-jeans*.
Aux yeux d'un certain nationalisme linguistique les
envahisseurs en uniforme devraient être beaucoup
moins dangereux qu'une cinquième colonne.

Parmi ces mots étrangers, laissons tous les
emprunts stylistiques ; tous ces termes sans autre
nécessité que de se donner un brevet d'anglicisme,
termes qui enragent à si juste titre les censeurs.
Laissons les snobs, les naïfs, les illettrés et les imbé-
ciles sous leur vrai masque, ce n'est pas au linguiste

qu'il appartient de les dénoncer mais aux chan-
sonniers.

Ajouterai-je que les mots de cette catégorie,
malgré leur nombre et qui va s'enflant, ne me
paraissent pas trop dangereux. Ils constituent un de
ces jargons dont la langue s'est toujours défendue au
cours de son histoire. Souvenez-vous des Précieuses.

De ces quelques milliers de mots qui flottent à la
surface du lexique, la plus grande partie est destinée
à disparaître, cependant qu'un petit nombre seront
assimilés et francisés.

Ce ne sont pas les *bowling*, les *mixers* ni les *boogie-
woogie* qui m'inquiètent ou plutôt — hélas —
devrais-je dire qui m'inquiéteraient, s'ils n'étaient
pas alimentés et soutenus par d'autres courants,
autrement puissants et dangereux s'ils ne sont pas
endigués et canalisés.

2. **La culture atlantique.** — Sur le plan technique
on ne peut que constater l'existence d'une culture
technologique occidentale.

Dans cette culture nos nations sont tributaires
les unes des autres, avec des hiérarchies inélucta-
bles ; il est inévitable que l'Amérique pèse de tout
le poids de sa puissance industrielle, de ses labora-
toires, de ses moyens de recherches. Nous sommes,
d'autre part, solidaires ; car en dépit du rôle de
l'individu, l'atome, le cancer, l'astronautique sont
désormais des aventures collectives et internationales. L'Europe se groupe dans l'Euratom ; c'est en
collaboration que l'Angleterre et la France cons-
truisent le *Concorde* et vont creuser un tunnel sous
la Manche, etc. (écrit en août 1964).

Cette technologie atlantique ne saurait se passer
d'une langue commune et toute tentative de nationa-
lisation — à supposer qu'elle soit possible — ne

peut aboutir qu'à un isolement, à une stérilisation, à une stagnation.

Je ne vois qu'une alternative : soit l'adoption d'un des idiomes nationaux, qui, dans l'état actuel des choses, risque fort d'être l'anglo-américain, avec tous les dangers de sabirisation pour les partenaires européens, France, Allemagne, Italie, etc., sans oublier l'Angleterre ; soit la formation d'une langue technique atlantique à base gréco-latine.

L'Europe a connu avec le latin une langue scientifique internationale. En dépit d'un abandon très regrettable du latin scientifique à l'époque moderne, les techniques du XIXe siècle ont continué à demander leur terminologie au grec et au latin : *l'électricité, le téléphone, la sociologie, la linguistique*, etc., sont notre bien commun.

Atomique, atomico, atomic, atomistish... voilà une solution.

Cette tendance est malheureusement freinée et troublée par la terminologie américaine, du fait sans doute de son caractère en partie empirique et de la déchéance des études humanistes aux Etats-Unis.

Mais point n'est besoin au technicien moderne d'ânonner pendant dix ans les déclinaisons latines. Il suffirait de mettre au point — et ce pourrait être la tâche de l'Unesco — un bref dictionnaire international des racines grecques et latines, avec une table des préfixes et des suffixes, et les règles élémentaires de la composition.

Si le monde moderne exige de nous un abandon partiel de notre souveraineté linguistique, un retour commun à notre commune tradition gréco-latine semble la solution la plus logique, la plus pratique et la plus apte à protéger les intérêts à la fois culturels, politiques et linguistiques de chacun.

3. L'information. — L'information est une des clés de notre culture moderne à la fois par les buts nouveaux qu'elle poursuit (publicité, propagande) et par les moyens dont elle dispose (presse, cinéma, radio, etc.).

Or, sous ces différentes formes, l'information a sur la langue un pouvoir décisif. Il pourrait et il devrait être bénéfique, il est trop souvent meurtrier. On ne saurait trop dénoncer la responsabilité de la presse, de la radio, de la publicité. Et si ma position a pu sembler jusqu'ici un peu en retrait, je dois dire que je rejoins maintenant M. Etiemble et que je partage entièrement ses craintes et son indignation.

Premier responsable, la presse et à sa suite la radio. Certes elle a des excuses que nous connaissons bien ; elle reçoit ses nouvelles des agences sous forme de télégrammes condensés ; la plupart de ses sources sont étrangères et principalement anglo-saxonnes. Le journaliste doit traduire, décoder hâtivement et dans des conditions difficiles ; sans connaître la langue étrangère, voire souvent la sienne. Le résultat, ce sont ces calques lexicaux et surtout syntaxiques dont nous dénoncions plus haut la nocivité.

Leur danger vient de leur autorité. Pour le lecteur, l'auditeur moyen, son journal, sa radio sont des modèles. Lorsque Léon ou Gustave annonce à dix millions d'auditeurs que « nous ne sommes pas concernés par le déterrent Nord-Atlantique », que voulez-vous que fasse l'instituteur en face de cette vedette auréolée des prestiges d'une auto-glorification délirante ?

Les enfants sont particulièrement sensibles à cette « intoxication ». C'est pourquoi on ne saurait trop appuyer M. Etiemble dans sa campagne contre la presse enfantine ; en particulier contre les bandes dessinées. Celles-ci n'ont plus l'excuse d'une traduction bâclée dans le bruit des linotypes ; en fait il s'agit d'entreprises commerciales, souvent étrangères ou liées à des intérêts politiques et commerciaux étrangers, qui achètent à bas prix une littérature de la plus vulgaire qualité, confiée à des traducteurs incompétents.

Et que dire enfin de la publicité, de l'immonde publicité qui, sur nos routes, nos murs, nos écrans, souille le vocabulaire et mutile la syntaxe.

Le problème est grave et dépasse le langage dans la mesure où il concerne toute notre culture.

Il serait mortel, sans doute, de nous cloîtrer dans les barrières d'un chauvinisme stérile, mais le danger est grand de nous enliser lentement dans une imitation passive.

BIBLIOGRAPHIE SOMMAIRE

WIND (B. H.), *Les mots italiens introduits en français au XVIᵉ siècle* (Deventer, Kluwer, 1928).

VALKHOFF (M.), *Les mots français d'origine néerlandaise* (Amersfoort, Valkhoff & Cⁱᵉ, 1931).

BOULAN (H. R.), *Les mots d'origine étrangère en français, 1650-1700* (Amsterdam, H. I. Paris, 1934).

MACKENZIE (Fr.), *Les relations de l'Angleterre et de la France d'après le vocabulaire* (Paris, Droz, 1939).

TABLE DES MATIÈRES

                                                                    PAGES

INTRODUCTION   5

CHAPITRE PREMIER. — Les Arabes et le Proche-Orient..   9

   1. L'Empire arabe médiéval, 10. — 2. Le Moyen-Orient, 19.
— a. Les mots persans, 19. — b. Les mots grecs, 21. — c. Les
mots turcs, 21.

CHAPITRE II. — L'Europe nordique et centrale   24

   1. Les Pays-Bas, 24. — 2. L'Allemagne, 30. — 3. Les mots
scandinaves, 36. — 4. Les mots slaves, 38.

CHAPITRE III. — L'Espagne et le Portugal   40

   1. L'Espagne, 40. — 2. Le Portugal, 51.

CHAPITRE IV. — Les mots exotiques................   54

   1. L'Amérique, 54. — 2. L'Extrême-Orient : l'Inde, la
Malaisie, la Chine, 57. — 3. L'Afrique, 61. — 4. Conclusion, 61.

CHAPITRE V. — L'Italie   64

   1. L'Italie médiévale, 72. — 2. La Renaissance italienne,
74. — 3. L'Italie du XVIIᵉ et XVIIIᵉ siècle, 79. — 4. L'Italie
moderne, 81.

CHAPITRE VI. — L'Angleterre   83

   1. L'Angleterre des philosophes, 90. — 2. Le XIXᵉ siècle, 95.

CHAPITRE VII. — Les mots étrangers   99

   1. L'intégration phonétique, 100. — 2. L'intégration morphologique, 105. — 3. L'intégration lexicale, 111. — 4. L'intégration grammaticale, 113. — 5. Parlons-nous franglais ?, 114.

BIBLIOGRAPHIE SOMMAIRE   125

1965. — Imprimerie des Presses Universitaires de France. — Vendôme (France)

ÉDIT. N° 28 152   IMPRIMÉ EN FRANCE   IMP. N° 18 742

TABLE ANALYTIQUE DE LA COLLECTION « QUE SAIS-JE ? »

BEAUX-ARTS	2
GÉOGRAPHIE	4
HISTOIRE	3
LITTÉRATURE	2
PÉDAGOGIE	1
PHILOSOPHIE	1
PSYCHOLOGIE	1
QUESTIONS SOCIALES	5
RELIGIONS — MYTHES	1
SCIENCE ÉCONOMIQUE	5
SCIENCE POLITIQUE	4
SCIENCES APPLIQUÉES	7
SCIENCES PURES	5
SOCIOLOGIE	1
SPORTS ET JEUX	8

PHILOSOPHIE

Les grandes philosophies	47
Les grands problèmes métaphysiques	623
Les grandes doctrines morales	658
La philosophie antique	250
La philosophie française	170
La philosophie anglaise et américaine	796
La philosophie chinoise	707
La philosophie médiévale	1044
La philosophie indienne	932
Histoire des idées en France	593
Histoire de la libre-pensée	848
Socrate	899
Platon et l'Académie	880
Aristote et le Lycée	928
Le stoïcisme	770
L'épicurisme	810
Le thomisme	587
Les gnostiques	808
Le personnalisme	395
L'existentialisme	253
Hegel et l'hégélianisme	1029
La dialectique	363
La phénoménologie	625
La raison	680
L'esthétique	635
L'esthétique industrielle	957
Histoire de la logique	225
La logique moderne	745
La pensée arabe	915

SOCIOLOGIE

Histoire de la sociologie	423
Psychologie des mouvements sociaux	425
Psychologie sociale	458
Biologie sociale	738
Sociologie de la vieillesse	1046
Sociologie de la campagne française	842
Sociétés animales et société humaine	696
Les relations humaines	672
Les mentalités	545
La guerre	577
Sociologie de l'Algérie	802
Sociologie de la radiotélévision	1026
Sociologie des relations sexuelles	1068
La vie américaine	774
La vie anglaise	838
Les masques	905

PSYCHOLOGIE

Histoire de la psychologie	732
La psychologie des peuples	798
Physiologie de la conscience	333
Physiologie des mœurs	613
La psycho-physiologie humaine	188
La psychanalyse	660
La psychologie appliquée	218
La psychotechnique	302
Les tests mentaux	626
Psychologie de l'enfant	369
Psychologie des animaux	419
Psychologie militaire	306
La psychologie économique	1124
La psychologie industrielle	1106
La personnalité	758
La caractérologie	380
Physionomie et caractère	277
La graphologie	256

PSYCHOLOGIE

La cryptographie	116
Les messages de nos sens	138
La perception	1076
La sensation	555
Les sensations chez l'animal	576
Les sentiments	322
L'intelligence	210
La mémoire	350
La volonté	353
L'imagination	649
L'attention et ses maladies	541
Les rêves	24
L'inconscient	285
Les passions	943
L'adolescence	102

PÉDAGOGIE

Histoire de l'éducation	310
Histoire de l'enseignement en France	393
Histoire de l'éducation technique	938
L'éducation nouvelle	14
L'éducation des enfants difficiles	71
L'enfance délinquante	563
Les droits de l'enfant	852
Les insuccès scolaires	636
L'orthographe	685
Les méthodes en pédagogie	572
Histoire du scoutisme	254
Les institutions universitaires	487
Histoire des Universités	391
La question scolaire en France	864

RELIGIONS

Le mouvement œcuménique	841
Les grandes religions	9
Les lieux saints	998
L'au-delà	725
Les institutions religieuses	454
Histoire des ordres religieux	338
Histoire du catholicisme	365
Histoire du judaïsme	750
L'Eglise orthodoxe	949
Le droit canonique	779
Histoire du protestantisme	427
Les premiers chrétiens	551
Les pèlerinages	666
La Papauté à Avignon	630
Les Papes de la Renaissance	575
La Papauté contemporaine	209
Histoire des Conciles	1149
Le jansénisme	960
Les Jésuites	936
Les Eglises en Grande-Bretagne	837
Histoire des missions françaises	405
Les religions de l'Afrique noire	632

MYTHES

Le bouddhisme	468
L'hindouisme	475
Le Yoga	643
L'Islam	355
La Kabbale	1105
Albigeois et Cathares	689
Les sociétés secrètes	515
La franc-maçonnerie	1064
Les Mormons	388
Le mysticisme	694
La mythologie grecque	582
Devins et oracles grecs	939

Histoire des légendes................ 670
Les pays légendaires devant la science . 226
L'occultisme devant la science 161
La magie 413
La sorcellerie 756
Le spiritisme 641
L'ésotérisme 1031
La métapsychique 671
L'astrologie 508

● Philologie - Linguistique

Le langage et la pensée 698
L'écriture 653
La sémantique 655
La linguistique 570
La phonétique...................... 637
La stylistique 646
La grammaire 788
Les locutions françaises 903
La syntaxe du français 984
L'argot 700
L'étymologie 1122
Les mots français.................. 270
Les noms de lieux 176
Les noms de personnes 235
Les noms des plantes 856
Les noms des fleurs 866
Les noms des arbres 861
Physiologie de la langue française ... 392
Histoire de la langue française 167
Proverbes et dictons français 706
Langue et littérature d'oc 324
La langue occitane 1059
La littérature d'oc 1039
Langue et littérature bretonnes 527
L'ancien français 1056
Le moyen français 1086
Les langues internationales 968
L'humour 877
Histoire des énigmes............... 1037
Le snobisme 1141

LITTÉRATURE

● Histoire
de la littérature française

Histoire de la poésie française 108
Troubadours et cours d'amour 422
La littérature française du Moyen Age. 145
La littérature française de la Renaissance 85
La littérature française du siècle classique 95
La littérature française du siècle philosophique 128
La littérature française du siècle romantique 156
Le romantisme français 123
Le naturalisme 604
La littérature symboliste 82
Le surréalisme..................... 432
Le roman français depuis 1900 49
Le théâtre en France depuis 1900.... 461
Le théâtre nouveau en France....... 1072
Le théâtre nouveau à l'étranger..... 1136
Ecrivains français d'aujourd'hui 1057
L'imprimerie 1067
Sociologie de la littérature........ 777
La critique littéraire 664
L'art oratoire 544

● Histoire
des littératures étrangères

La littérature allemande............ 101
La littérature américaine 407
La littérature anglaise 159
Les littératures celtiques 809
La littérature chinoise 296
La littérature espagnole 114
La littérature grecque 227
La littérature grecque moderne 560
Les littératures de l'Inde 503
La littérature italienne 715

La littérature japonaise 710
La littérature latine 327
La littérature latine du Moyen Age 1043
La littérature russe 290
La littérature comparée 499

● Architecture - Urbanisme

Histoire de l'architecture 18
Les procédés modernes de construction. 204
L'acoustique des bâtiments 930
L'urbanisme 187
L'urbanisme souterrain 533
Technique de l'urbanisme 609
L'art des jardins 618

● Arts plastiques

La critique d'art 806
Histoire de la peinture 66
L'impressionnisme 974
Le cubisme 1036
Technique de la peinture 435
La peinture moderne 28
Les estampes...................... 135
Le baroque 923
L'art et la littérature fantastiques ... 907
Histoire de la sculpture 74
La sculpture en Europe 358
La céramique grecque 588
L'iconographie chrétienne 553
L'assyriologie..................... 1144
Les arts de l'Asie orientale 77
Les musées de France 447
La perspective 1050

BEAUX-ARTS

● Arts appliqués

Les arts du feu 45
Les tissus d'art 566
L'orfèvrerie 131
Les pierres précieuses 592
Le mobilier français 26
L'art du meuble à Paris au XVIIIᵉ siècle 775
L'affiche 153
Histoire du livre 620

● Musique

Les formes de la musique 478
La notation musicale 514
Le solfège......................... 959
Histoire de la musique 40
La musicologie 978
La musique française du Moyen Age et de la Renaissance 931
La musique française classique 878
La musique française au XIXᵉ siècle ... 1038
La musique française contemporaine .. 517
La musique étrangère contemporaine .. 631
La musique allemande 894
La musique américaine 1058
La musique espagnole 823
La musique hongroise 816
Les maîtres du jazz 548
L'orchestre 495
L'harmonie........................ 1118
L'orgue 276
Le clavecin 331
Le piano 263
Les instruments du quatuor 272
Les instruments à vent 267
Le chant 997
Le chant choral 288
Le chant grégorien 1041
La mélodie et le lied 412
L'opéra et l'opéra-comique 278
L'opérette 1006

BEAUX-ARTS

● Théâtre - Danse

Histoire du théâtre 160
Histoire de la mise en scène....... 309
Shakespeare et le théâtre élizabéthain... 1096
Technique du théâtre 859

BEAUX-ARTS

L'art du comédien 600
Les grands comédiens (1400-1900) 879
Les grands acteurs contemporains 887
Histoire des marionnettes 845
Histoire du ballet 177
Technique de la danse 196

● Cinéma - Radio

Histoire du cinéma 81
Technique du cinéma 118
Esthétique du cinéma 751
Les vedettes de l'écran............. 1146
Radiodiffusion et télévision 760
L'art radiophonique 504

○ Histoire générale

La vie préhistorique 535
L'âge de la pierre 948
L'âge du bronze 835
Les civilisations anciennes du Proche-Orient 185
Les grandes dates de l'Antiquité.... 1013
Les grandes dates du Moyen Age ... 1088
Les grandes dates temps modernes ... 1147
Les premières civilisations de la Méditerranée 17
Carthage 340
Les guerres puniques............... 888
La Perse antique 979
Babylone 292
L'Egypte ancienne 247
Les impérialismes antiques 320
Le siècle de Périclès 347
La vie dans la Grèce classique...... 231
Alexandre le Grand 622
La civilisation hellénistique 1028
Les Etrusques 645
Les origines de Rome 216
La République romaine 686
Le siècle d'Auguste 676
César 1049
La vie à Rome dans l'Antiquité 596
Les villes romaines 657
Histoire de Byzance 107
Les invasions barbares 556
Les Croisades 157
Les civilisations précolombiennes ... 567
Les civilisations africaines 606
La Renaissance 345
Pirates et flibustiers 554
Les Etats barbaresques 1097
Contrebande et contrebandiers 833
L'esclavage 667
La première guerre mondiale 326
La seconde guerre mondiale 265
Les mouvements clandestins en Europe (1939-1945) 946
Entre la guerre et la paix.......... 351
Histoire de la civilisation européenne. 947
Histoire des doctrines militaires 735
La guerre psychologique............ 713
La guerre révolutionnaire.......... 826
La fin des empires coloniaux 409
Histoire des postes jusqu'à la Révolution............................. 200
Histoire des postes depuis la Révolution............................. 260
Histoire du timbre-poste 273
Histoire de l'armée 298
Histoire de l'armement 301
Les Tsiganes 580

● Histoire de la France

Histoire des Gaulois 206
Les Gallo-Romains 314
Charlemagne 471
La formation de la France au Moyen Age 69
La vie au Moyen Age 132
Marchands et banquiers du Moyen Age. 699
Guillaume le Conquérant 799

Jeanne d'Arc 211
L'unité française................... 155
Les guerres de religion 1016
La guerre de Trente ans 1083
Le siècle de Louis XIII 1138
Le siècle de Louis XIV 426
L'Ancien Régime 925
La Révolution française 142
Robespierre 724
Les Jacobins 190
Le Comité de Salut Public 1014
Napoléon 115
La Monarchie de Juillet........... 1002
La Révolution de 1848............ 295
Le Second Empire 739
La Commune....................... 581
La IIIᵉ République 520
L'affaire Dreyfus 867
Histoire de la colonisation française... 452
Histoire de la Résistance 429
Histoire de la France libre 1078
La Communauté 428

● Histoire des provinces françaises

Histoire de l'Alsace 255
Histoire de l'Anjou 934
Histoire de l'Auvergne 144
Histoire du Béarn 992
Histoire du Bourbonnais 862
Histoire de la Bourgogne 746
Histoire de la Bretagne 147
Histoire de la Champagne 507
Histoire de la Corse 262
Histoire du Dauphiné 228
Histoire de la Flandre et de l'Artois . 375
Histoire de la Franche-Comté 268
Histoire de la Gascogne 462
Histoire de la Guyenne 424
Histoire du Languedoc 958
Histoire du Limousin et de la Marche.. 441
Histoire de la Lorraine............ 450
Histoire de Lyon et du Lyonnais ... 481
Histoire du Maine 860
Histoire de la Normandie 127
Histoire de Paris 34
Histoire de la Picardie 955
Histoire du Poitou................ 332
Histoire de la Provence 149
Histoire du Roussillon 1020
Histoire de la Savoie 151
Histoire de la Touraine 688

● Histoire par pays

Histoire de l'Allemagne 186
L'Allemagne de Hitler 624
La République Démocratique Allemande 964
La République fédérale d'Allemagne.. 1069
Histoire de l'Autriche 222
Histoire de la Belgique 319
Histoire du Cambodge 916
Histoire de Chypre 1009
Histoire du Commonwealth 334
Histoire de la Crète 1018
Histoire de l'Espagne 275
Histoire de Gibraltar 674
Histoire de la Grande-Bretagne 282
Histoire de la Grèce moderne 578
Histoire de l'Irlande 394
Histoire de l'Italie 286
L'unité italienne 942
Histoire de Florence 1116
Histoire de la Sicile 728
Histoire de Malte 509
Histoire des Pays-Bas 490
Histoire des pays scandinaves 704
Histoire des Philippines 912
Histoire de la Pologne 591
Histoire de la Russie, des origines à 1917. 248
Histoire de la Suisse.............. 140
Histoire de la Turquie 539
Histoire de l'U.R.S.S. 183

HISTOIRE

La Révolution russe 986
Histoire de Venise 522
Histoire de la Yougoslavie 675
Histoire de l'Asie 25
Histoire de l'Asie du Sud-Est........ 804
La révolte de l'Asie 496
Histoire de la Chine moderne 308
La Chine populaire 840
La Chine ancienne 1113
Histoire de l'Inde 489
Histoire du Vietnam 398
Histoire de l'Indonésie 801
Histoire de l'Afrique 4
Les Berbères 718
Les Arabes 722
L'Afrique noire précoloniale 241
Les institutions politiques de l'Afrique
  noire 549
Le panafricanisme 847
Histoire de l'Egypte moderne 459
L'Etat d'Israël 673
Le Proche-Orient arabe 819
Le Liban 1081
Singapour et la Malaisie............. 869
La Thaïlande............................ 1095
L'Arménie 851
La Tunisie 318
Le Maroc 439
Les Rhodésies et le Nyassaland 1094
La Nigeria 1015
La Côte d'Ivoire 1137
Bandoung et le réveil des anciens peuples
  colonisés 910
Le Pakistan 970
Histoire de l'Algérie contemporaine. 400
La question arabe 303
Histoire de l'Amérique latine 361
Histoire du Mexique 574
Histoire du Canada 232
Le Canada français 1098
Histoire des Etats-Unis 38
La guerre de Sécession 914
Histoire de l'Océanie 75

● Sciences auxiliaires de l'histoire

Les étapes de l'archéologie 54
Les manuscrits de la mer Morte 953
Dolmens et menhirs 764
La numismatique antique 168
L'épigraphie latine 534
Les archives 805
La généalogie 917
La diplomatique 536
Le protocole et les usages 963
La bibliographie 708
Les bibliothèques 944
Musées et muséologie 904
La noblesse 830
La chevalerie 972
Le blason 336
Ordres et décorations 747
Le symbolique 749
Le costume antique et médiéval...... 501
Le costume moderne et contemporain. 505
Histoire des soins de beauté 873

GÉOGRAPHIE

Histoire de la géographie 65
La découverte des mers 299
Les océans 92
Le fond des océans 621
Les grands explorateurs 150
Les expéditions polaires 73
Biogéographie mondiale 590
Géographie industrielle du monde 246
Géographie sociale du monde 197
Géographie agricole du monde 212
Géographie agricole de la France..... 420
Géographie de la consommation..... 1062
Géographie cynégétique du monde ... 807
Géopolitique et géostratégie 693
La cartographie 937
Le Massif Central...................... 1033

Les Pyrénées 995
Le Rhin 1065
Géographie de l'Europe centrale, slave et
  danubienne............................. 1123
Géographie des Iles Britanniques 1127
Géographie de l'Italie 1125
Géographie de l'Allemagne et des Etats
  alpestres............................... 1117
Géographie de la péninsule Ibérique . 1091
Géographie de l'U.R.S.S. 1079
Géographie des Balkans 1154
Les terres australes 603
Le Grand Nord 512
La Sibérie 736
L'Amérique centrale 513
Les Antilles françaises 516
Le Brésil 628
Le Chili 730
La République Argentine 366
Le Sénégal et la Gambie 597
L'A.E.F. et le Cameroun 633
Le Sahara 766
Madagascar 529
Géographie de l'Afrique tropicale et
  australe 1139
La République d'Afrique du Sud 463
Le Canal de Suez 681
L'Arabie séoudite..................... 1025
La Haute-Asie 573
L'Océanie française 619
Australie et Nouvelle-Zélande 611

SCIENCE POLITIQUE

La science politique 909
Les organisations internationales 792
Les relations culturelles internationales 1142
Le monde atlantique 771
Les régimes politiques................ 289
Histoire des doctrines politiques en
  France................................. 304
La France dans le monde actuel 876
Les Constitutions de la France 162
L'Etat 616
Les techniques parlementaires....... 786
Le citoyen devant l'Etat 665
La participation des Français à la poli-
  tique 911
L'administration 1004
L'administration régionale et locale de la
  France................................. 598
L'autorité 793
Les groupes de pression 895
Les techniciens et le pouvoir 881
Les intellectuels 1001
La propagande politique 448
L'information 1000
La presse moderne..................... 414
Histoire du journalisme 368
L'opinion publique 701
Les attitudes politiques 993
Histoire diplomatique 307
La diplomatie française 129
Le radicalisme 761
Les rapports de l'Eglise et de l'Etat . 886
L'O.N.U. 748
L'O.T.A.N. 865
Le Conseil de l'Europe 885
Le Parlement européen............... 858
La stratégie nucléaire................ 1042

● Droit et justice

Le droit international 1060
Le droit administratif 1152
Le droit romain 195
Le droit antique 924
Le droit musulman 702
Histoire du droit privé 408
Histoire du droit pénal 690
Le droit pénal 996
La procédure pénale 1089
Histoire du droit public français ... 755
Le droit soviétique 1052

Histoire de la justice 137
La justice en France 612
Les droits naturels................. 920
Histoire de la police 257
La criminalistique 370
Le crime 297
Les fraudes 839
Les prisons 493
Le droit de l'espace 883
Le droit aérien 1011
La philosophie du droit 857
Sociologie du droit................ 951
Le droit des États-Unis 1159

● **Théories et généralités**

Les doctrines économiques 386
L'économie antique 1155
La C.E.C.A. 773
Le Marché commun 778
Le Marché commun agricole 1115
Le capitalisme..................... 315
L'épargne et l'investissement 822
La bourse des valeurs et les opérations
  de bourse 825
Les jeux d'entreprises 892
La recherche opérationnelle 941
Les pays sous-développés 853
La crise de la pensée économique ... 483
Les systèmes économiques 753
Les programmes économiques 1073
L'économie mixte 1051
Libre-échange et protectionnisme.... 1032
La libre concurrence............... 1063
La politique économique 720
Les mécanismes économiques 27
Les espaces économiques 950
L'aménagement du territoire 987
Les grands problèmes de l'économie
  contemporaine 182
L'économie planifiée 329
La structure économique de la France 791
Le secteur public en France 1131
Les entreprises nationalisées 695
Brevets d'invention et propriété indus-
  trielle.......................... 1143
Les grandes marques............... 991
La bataille de l'énergie 863
La prévision économique 112
La consommation 697
La productivité.................... 557
L'entreprise dans la vie économique .. 477
La coopération 821
La bureaucratie 712
La stratégie des trusts 120
La stratégie du fer 60
La lutte pour les denrées vitales 891
La politique pétrolière internationale . 279
La civilisation de 1975 818
Pourquoi nous travaillons 1019
Les pensions militaires 711
Histoire de demain 32
L'économie humaine 639
L'économie de l'alimentation... 762
Les prix 784
L'évolution des prix depuis cent ans .

● **L'économie mondiale
  et les économies nationales**

Les grands marchés du monde 608
L'économie mondiale 343
La Communauté économique atlantique 396
L'économie française dans le monde.. 191
L'économie de la zone franc 868
Le IVᵉ Plan français 1021
L'économie de l'Allemagne et de l'Au-
  triche........................... 283
L'économie de l'Europe centrale, slave
  et danubienne 328
L'économie méditerranéenne 785
L'économie de l'U.R.S.S. 179

L'économie des Etats-Unis 223
L'économie du Canada 1145
L'économie de l'Amérique latine 357
L'économie du Moyen-Orient 473
L'économie britannique............. 1085
L'économie du Commonwealth britan-
  nique 403
L'économie de l'Asie du Sud-Est 769
L'économie de la Chine populaire..... 1102
L'économie de l'Inde.............. 531
L'économie de l'Italie 1007
L'économie du Japon 811
Le Benelux 870

● **Statistique**

La statistique 281
La méthode statistique dans l'industrie............................. 451

● **Commerce**

Histoire du commerce 55
Technique de l'exportation 889
La publicité....................... 274

● **Finances - Fiscalité**

Les finances publiques 415
Finances et financiers de l'Ancien Ré-
  gime 1109
Histoire de la banque 456
Technique de la banque 469
La comptabilité 111
Théorie et pratique comptables 1071
Le plan comptable français 1157
Le bilan dans les entreprises 726
Les placements 406
Les assurances 76
Histoire de l'impôt 651
Histoire du franc 1082
Les douanes....................... 846

● **Démographie**

La population 148
Les migrations humaines 224
La prévention des naissances....... 988

Les classes sociales 341
Citadins et ruraux 1107
Histoire de la propriété 36
Habitat et logement 763
La faim 719
Les origines de la bourgeoisie 269
Le socialisme..................... 387
Le marxisme 300
L'anarchisme 479
Histoire du travail................ 164
Le travail ouvrier 349
L'organisation internationale du tra-
  vail............................. 836
L'organisation scientifique du travail. 125
La rémunération du travail 654
La condition ouvrière en France depuis
  cent ans 433
Le syndicalisme en France 585
Le syndicalisme dans le monde 356
Les internationales ouvrières 1129
La Sécurité sociale................ 294
La Croix-Rouge internationale 831
Les réfugiés 1092
La médecine du travail 166
La sélection des cadres............ 379
L'orientation professionnelle 121
Le niveau de vie en France 371
Prostitution et proxénétisme 999
Histoire des relations sexuelles 1074

● **Histoire des sciences**

Histoire de l'astronomie 165
Histoire des mathématiques 42
Histoire de la physique .... 42)

SCIENCE ÉCONOMIQUE · **SCIENCE ÉCONOMIQUE** · **QUESTIONS SOCIALES**

Histoire de la mécanique 130
Histoire de la chimie 35
Histoire de la pharmacie 1035
La science des Chaldéens 893
Histoire de la biologie 1
Histoire de la médecine 31
Histoire de la médecine vétérinaire .. 584
Histoire de la chirurgie 935
Histoire du calcul 198
Histoire de la géométrie............ 109
La recherche scientifique 781

● Astronomie

L'astronomie sans télescope 13
L'univers 687
Le soleil et son rayonnement 230
Planètes et satellites.............. 383
La vie et la mort des étoiles 330
La terre et la lune 875
Les éclipses 940

● Mathématiques

Les nombres premiers 571
Arithmétique et théorie des nombres .. 1093
L'analyse mathématique............ 378
Calcul vectoriel et calcul tensoriel ... 418
Calcul différentiel et intégral....... 466
Calcul matriciel................... 927
Le calcul mécanique 367
Le calcul mental 605
L'algèbre moderne 661
Les logarithmes 850
La trigonométrie 692
La géométrie descriptive 521
La géométrie différentielle 1104
La géométrie projective 1103
La géométrie contemporaine 401
Géométrie analytique.............. 1047
La symétrie 743
Courbes et surfaces 564
La mécanique ondulatoire 311
La balistique 470
Les probabilités et la vie.......... 91
Probabilité et certitude 445
Les certitudes du hasard 3
L'exploitation du hasard 57
La relativité 37
La mesure du temps 97
Le calendrier 203

● Physique

Les mesures physiques 244
La gravimétrie.................... 1030
De la loupe au microscope électronique. 453
Matière, électricité, énergie 291
Électricité-Magnétisme............ 243
Les radiations nucléaires 844
L'énergie thermonucléaire......... 1017
Les centrales nucléaires 1037
Les rayons X 70
Les rayons cosmiques 729
La cellule photo-électrique 280
L'air 1034
La lumière 45
Le froid 122
La chaleur 261
La thermodynamique 1119
Les hautes températures 956
Le feu 532
L'eau 266
La neige 538
La glace et les glaciers........... 562
Le vide et ses applications 430
La cybernétique 638
L'acoustique appliquée 385
Optique théorique 615
L'optique astronomique 652
La luminescence 921
Le son 293
Les ultrasons 21
Les phénomènes vibratoires 323
L'électron et son utilisation industrielle. 175

Les quanta et la vie 530
La structure moléculaire 602
Les isotopes 1111
L'énergie atomique 317
De l'atome à l'étoile 2
Radium, radioactivité, énergie nucléaire. 33
L'uranium 1070
La spectroscopie 511
Le microscope électronique 1045
L'ultra-violet 662
L'infrarouge 497
Matière et antimatière............ 767
La couleur 220
La reproduction des couleurs 472
La physique mathématique 1133
La météorologie 89
Mécanique élémentaire 906
La résistance des matériaux 599
Le contrôle des matériaux 815
La mécanique des solides......... 579
La mécanique des fluides.......... 1054
La corrosion des métaux 843
L'énergie......................... 648

● Chimie

La chimie générale 207
La chimie organique 485
L'analyse chimique 189
La géochimie 759
L'électrochimie 437
La chimie électronique 874
La biochimie électronique 1075
L'alchimie 506
L'état gazeux 389
L'hydrogène 526
Les nouveaux corps simples 1005
Les oligoéléments 1010
Catalyse et catalyseurs 240
Les fermentations 524
Les enzymes 434
Les protéines 679
Les colloïdes 104
Les acides nucléiques 1061
Chimie de la beauté............. 901
Les insecticides 829

● Géologie - Physique du globe

La topographie 744
Etude physique de la Terre 67
La spéléologie 709
La géologie 525
Histoire de la géologie 962
Les fossiles 668
Géologie de la France 443
La géologie de la région parisienne .. 854
La terre et son histoire 16
La biologie des sols 399
La génétique des sols 352
La radioactivité des roches 741
La minéralogie 794
La pétrochimie dans le monde 787
Minerais et terres rares 640
Les eaux souterraines 455
Vagues, marées, courants marins ... 438
Séismes et volcans 217
L'hydrologie...................... 884
L'hydraulique 1158
Les fleuves 1077
La vie, créatrice de roches 20
Les roches 519
Les roches éruptives 542
Les roches métamorphiques 647
Les roches sédimentaires 595
L'érosion des sols 431
Les déserts 500
Les montagnes 682
L'or 776

● Biologie

Les rythmes biologiques 734
La biologie humaine 1156

Left margin: SCIENCES PURES · SCIENCES PURES

Right margin: SCIENCES PURES · SCIENCES PURES

SCIENCES PURES

La physique de la vie 184
La physique des plasmas 1150
La cellule vivante 989
La chimie des êtres vivants 163
Les microbes 53
Pasteur et la microbiologie 467
La pollution des eaux 983
Le phosphore et la vie 373
Le potassium et la vie 650
Le calcium et la vie 757
Le magnésium et la vie 872
Le sodium et la vie 1110
La vie sexuelle 727
La vie en haute altitude 629
L'embryologie 68
L'hérédité humaine 550
Génétique et hérédité 113
La biométrie 871
Les muscles 181
La fécondation 390
Les hormones 39
La sexualité 50
La douleur 252
La chaleur animale 205
La naissance 663
La croissance 78
La mort 236
Les origines de la vie 446
Le transformisme 502
La genèse de l'humanité 106
L'origine des espèces 141
Les races humaines 146
L'anthropologie physique 1023

● Zoologie

Origine des animaux domestiques ... 271
L'homme contre l'animal 737
La sélection animale 215
Les migrations des animaux 51
Les insectes et l'homme 83
Le parasitisme 117
Les mammifères 1100
Les batraciens 1160
Le peuple des abeilles 6
Le peuple des termites 213
Le peuple des fourmis 1153
Les papillons 797
Les oiseaux 1012
Les reptiles 990
La vie dans les mers 72
La vie dans les eaux douces 233
Les poissons 642
Les coquillages comestibles 416
Les singes anthropoïdes 202
Le cheval 360
Les chiens 552

● Botanique

Histoire des fleurs 954
La vie des plantes 772
Origine des plantes cultivées 79
La sélection végétale 219
La biologie végétale 492
La physiologie végétale 287
Les tropismes 482
L'énergie végétale 716
La greffe végétale 814
La nutrition de la plante 849
La croissance des végétaux 898
Lumière et floraison 897
Température et floraison 1027
Le pollen 783
Les mouvements des végétaux 569
L'énergie chlorophyllienne 583
Genèse de la flore terrestre 201
Géographie botanique 313
Arboriculture et production fruitière .. 967
La vigne et sa culture 969
Les alcaloïdes et les plantes alcaloïfères .. 154
Les champignons 812
Les algues 918

● Médecine

La technique sanitaire 803
La santé dans le monde 782
Les hôpitaux en France 795
La médecine légale judiciaire 789
La médecine militaire 926
La médecine chinoise 1112
Les défenses de l'organisme 5
Chirurgie esthétique 982
Les thérapeutiques modernes 922
L'accouchement sans douleur 1134
La puériculture 740
La stérilité 961
La longévité 754
Gérontologie et gériatrie 919
Les médicaments usuels 245
L'analyse biochimique médicale 731
La relaxation 929
L'acupuncture 705
L'homéopathie 677
La guérison 684
L'alimentation humaine 22
Les régimes alimentaires 178
Les maladies de la nutrition 1151
L'appareil digestif et ses maladies .. 1130
L'obésité 994
Les vitamines 12
Le cholestérol 1090
Le thermalisme 229
La dermatologie 1132
La peau 558
Le sang 194
Les groupes sanguins 1099
Les dents 488
Les glandes endocrines 523
La climatologie 171
Les poussières 717
Le bruit 855
Les surdités 1148
Les virus 945
Le paludisme 594
La tuberculose 15
Le cancer 11
Le diabète 124
Le rhumatisme 780
Les épidémies 607
La grippe 976
Le péril vénérien 58
Le cœur et ses maladies 518
L'audition 484
La voix 627
Les sourds-muets 444
La vision 528
L'hygiène de la vue 614
La vie des aveugles 152
Le goût et les saveurs 460
Les thérapeutiques psychiatriques . 691
La psychiatrie sociale 669
Psychoses et névroses 221
Hypnose et suggestion 457
La psychothérapie 480
La psychopathologie expérimentale . 1128
La médecine psychosomatique 656
La médecine du travail 166
Le tonus mental 474
L'électricité cérébrale 410
La chimie du cerveau 94
Le cerveau humain 768
Le système nerveux et ses inconnues .. 8
L'équilibre sympathique 565
La fatigue 733
L'âge critique 601
La toxicologie 61
Les toxicomanies 586
Les hypnotiques 1066
L'alcoolisme 634

● Techniques et industries

Histoire des techniques 126
L'automation 723
Les routes 828

— 7 —

SCIENCES APPLIQUÉES

L'électronique 1126
Les ordinateurs électroniques 832
Le langage électronique 900
Le calcul électronique 882
La machine à traduire 834
L'industrie automobile 714
Le charbon 193
L'industrie du gaz 239
La houille blanche 540
Les centrales thermiques 913
Le goudron de houille 402
Le pétrole 158
Le gaz naturel dans le monde 896
Les pipelines 1114
Les carburants nouveaux 933
Les étapes de la métallurgie 96
Les techniques de la métallurgie 134
Les mines 465
Le cuivre et le nickel 510
L'acier 561
L'aluminium et les alliages légers 543
Les alliages métalliques 173
Les aciers spéciaux 890
Les moteurs 316
Automates, automatisme, automation. 29
Histoire de la vitesse 88
L'industrie aéronautique 742
Les avions 169
Les étapes de l'aviation 172
Le pilotage des avions modernes 348
La propulsion des avions 364
Le vol des avions 827
Le matériel volant 362
L'aviation commerciale 359
La navigation aérienne 559
L'aérodynamique 752
Le vol supersonique 800
Les satellites artificiels 813
Les fusées 765
Les hélicoptères 721
Les aéroports 1048
Le parachute 817
L'astronautique 397
Les navires 411
Histoire de la marine française 342
Histoire de la navigation 43
Technique de la navigation 498
La navigation intérieure en France 494
La marine marchande 376
La manœuvre des navires 659
Radionavigation et radioguidage 41
Le radar 381
Les ports maritimes 100
La mer, source d'énergie 431
Les chemins de fer 86
La photographie 174
Les télécommunications 335
Les transports en Europe 1053
Le téléphone 251
Les ondes électromagnétiques 99
Les semiconducteurs 1080
Les transistors 1121
Les stations de radiodiffusion 214
La télévision 30
L'éclairage 346
L'équipement électrique de la France... 59
Histoire de l'électricité 7
Le chauffage des habitations 249
Histoire du confort 449
Les grands travaux 105
Les industries mécaniques 486
Les industries de la pierre et du marbre 977
Les industries de l'alimentation 110
Le pain et la panification 1140
L'industrie hôtelière 1022
Technique de la cuisine 1024
Les conserves 683
L'économie des industries chimiques... 1008
La grande industrie chimique minérale. . 284
La grande industrie chimique organique. 436
Les colorants 119
Les corps gras 234

Les industries du savon et des détergents 980
Les plastiques 312
Les plastiques renforcés 1120
L'industrie du disque 971
Les matières premières de synthèse 93
Caoutchoucs et textiles synthétiques.. . 973
Les textiles chimiques 1003
Poudres et explosifs 259
Odeurs et parfums 344
Le sel 339
Les épices 1040
Le papier 84
Le verre 264
La filature 537
Le tissage 546
Les industries de la soierie 975
Le lin et l'industrie linière......... 1108
Cuirs et peaux 258
La bière et la brasserie 440
Les systèmes sténographiques 790
L'imprimerie 1067
La typographie 1101

● Elevage

Le lait et l'industrie laitière 377
La viande 374
La laine 464
Les fourrures 384
L'exploitation rationnelle des abeilles. 19
Les pêches maritimes 199
La pisciculture 617

● Agriculture

Le destin de l'agriculture française ... 354
Les climats et l'agriculture 824
La défense de nos cultures 56
La vie rurale en France................ 242
Les engrais et la fumure 703
Le machinisme agricole 476
Le blé 103
La pomme de terre 372
Le sucre 417
Les vins de France 208
Biologie du vin 442
La chimie du vin 908
L'agriculture coloniale 62
Les fruits exotiques 237
Le coton 90
Le caoutchouc 136
Le riz 305
Le café 139
Le cacao 644
Le tabac 87

● Sylviculture

Le bois 382
Industries et commerce du bois 404
Histoire des forêts 1135
Forêts vierges et bois tropicaux 143

SPORTS ET JEUX

Histoire du sport 337
Technique du sport 63
Physiologie du sport 133
L'éducation physique 238
Les sports de la montagne 325
Le tennis 1084
L'équitation 902
Le vol à voile 547
Le yachting 820
Le rugby 952
L'exploration sous-marine 589
La tauromachie 568
La chasse en plaine et au bois 192
La chasse en montagne, au marais et en
mer 321
La chasse à courre 610
Les courses de chevaux 981
Les jeux du casino 985
Le bridge 1055